南無本師釋迦牟尼佛

佛教兒童故事

人之根（一）

一九八四年法界佛教總會法界大學出版

「人之根」佛教兒童故事

原書。HUMAN ROOTS（第一册。法界佛教大學出版）

中譯：鄧麗薇居士

修正：恒文・恒道

潤色：周果立居士

宣化上人予小學生的開示

記錄：恒道周果立

目錄

佛教兒童故事

獅子乳……一
大熊……八
屍體……十三
大白象……二三
懊悔的大蛇……二七
海龜王……三五
祇樹給孤獨園……三九
顛倒的龍……五九
愚生死長……六二
你是人否？……八六

他忘了一切	九一
蕭兒奮勇救弟	九四
人怎樣來到地球？	一三〇

予小學生的開示（宣化上人講）

敦品立德	一五三
建立堅固的基礎	一五六
八德	一六〇
如何做一個有為的青年人？	一六七
不幸之中的幸運人	一七二
行住坐臥有威儀	一七六
讀書簡單的秘訣	一七九
學校是神聖的處所	一八二
法界佛教總會出版佛書目錄	一八五

獅子乳

釋迦牟尼佛在世時,有四兄弟,父親去世後,他們常常為分家產而起紛爭,於是便去請求舍利弗尊者幫忙。尊者回答說:「好吧!我有一位大公無私的導師,讓我帶你們去見他,看他能不能替你們解決問題。」

兄弟們都同意一起去到佛所,請佛解答問題。佛就講了一個故事給他們聽:從前有一個皇帝,患了重病,御醫告訴他除非能夠得到獅子的乳來作藥,病才會痊癒。於是皇帝發出了一道聖旨,通告全國的人民

：「無論任何人，若能獻上獅子乳，就可以與公主結婚，並由皇上賞賜奴僕和土地，做一位小國王。」

有個貧窮的獵人，聽到這個消息，就決定自己去試一試。他隨身帶了一些酒和生肉，到獅子聚居的山上去，等候獅子出現。果然不久有一隻巨大的母獅走過來，牠見到酒和肉，就大吃大喝一頓。吃飽喝足之後，很快就睡著了。獵人就趁這個機會取得獅子乳。大功告成，他便下山去，找一間旅店留住一宿。因為已經筋疲力竭，所以很快就睡熟了。當時有一位

阿羅漢經過，當晚，阿羅漢看見獵人身體的六個部份互相爭吵。他的腿說：「如果不是我跑到山上去，他永遠取不到獅子乳。」手也嚷著說：「如果不是我搾取獅子乳，他怎能取到獅子乳呢？」耳朵也湊熱鬧說道：「瞧！你們還記得是怎樣開始的嗎？如果我沒有聽到皇帝要賞賜公主和封地的消息，他永遠不會去尋找呢！」眼睛說：「如果我沒有看見，你們沒有一個能有所作為！」舌頭也說：「你們靜下來，功勞都歸於我！」由於舌頭講這番話，引起了腿、手、眼和耳

3

都騷動起來，竟然把獵人吵醒了。便說：「無論如何，我已取到獅子乳了！」

第二天一早，獵人就前去謁見皇帝。舌頭搶先說：「這不是真的獅子乳，這是驢乳。」皇帝聽了以後，非常生氣：「你拿驢乳來欺騙我，我要處決你！」

幸好，那位在旅店旁住宿的阿羅漢，趕來把實際的情形詳細的報告。皇帝聽後，相信阿羅漢的話，命人把獅子乳呈上，並且調製成藥。當他喝了獅子乳之後，病便即刻痊癒。皇帝履行諾言，把一位公主嫁給

獵人,並封他為一個小國的國王。

佛引述完這故事後,便對四兄弟說:「你們看,不但是兄弟間有紛爭,就算我們身體各部份也會有紛爭而造成很多煩惱。」四兄弟明白了這道理,就不再為父親的遺產爭吵,反而出家修道,不久便證得阿羅漢果。

阿難不明白這四兄弟為甚麼這樣順從佛的教訓,又能這樣快就能證得阿羅漢果?於是請問佛,這四人究竟有甚麼功德?佛答:「摩文佛時,舍利弗是一位

比丘，這四兄弟共做一件袈裟供養他。由於他們布施的功德，所以今生能出家修道，並且證到阿羅漢的果位。」

大熊

一日,有一個樵夫到山上去砍柴,不知不覺迷失了路。那時,正颳著狂風,又下著雨。他越走天越黑,雨也越下越大。這時,他肚子餓得很厲害,又聽到附近的野獸所發出的吼聲,更使他驚惶不安。他又看見一隻老虎和獅子,正朝著他看,把他嚇得魂不附體!忽然間見到前面有一個山洞,便趕快溜進去躲一躲。不料當他剛想鑽進那個洞裏,發現有一隻大熊正面對著他。於是樵夫便拼命向洞口跑去。那頭大熊突然

跟他講話:「不用怕,我不會傷害你,你可以留在這裏避雨。這樣大雨,你很難找到回家的路。留在這吧!我會把漿果、水果和蜜糖分給你吃。」

樵夫見大熊和顏悅色的對他說話,也就不再恐懼,便決定留在又乾又暖的洞中,做大熊的客人。

過了幾天,熊對樵夫說:「看來風雨已經停止,現在你能夠找到回家的道路了。」樵夫滿心地感謝大熊說:「我如何能報答你的恩惠呢?」

大熊說:「不必言謝。因為很多人喜歡獵取熊膽

和熊肉,我只要求你不要對別人提起有一隻熊住在這個洞裡就好了!」

「當然啦!」樵夫答應了,就踏上歸途。

沿路下山,他遇到一個獵人,獵人問他:「你有沒有看見野獸呀?」

「有,」樵夫說:「我看見一隻熊。」

「啊!」獵人興緻勃勃的說。

「對了,因為牠救了我的性命,所以我不想告訴你牠住在那裏。」

10

獵人說：「一隻熊只不過是一隻野獸罷了！究竟你我都是人，需要美好的肉食來維持健康，使身體有抵抗力。你告訴我牠住在那裏，我獵取熊肉後將與你分享，並且給你一些熊皮好做一件大衣保暖。」

獵人終於把樵夫說服了，便和樵夫到熊住的山洞裡去。獵人射殺了大熊，剝皮取膽，並把一塊熊肉切下來，遞給樵夫。就在樵夫正貪婪地伸手要去接那塊肉時，他的一雙手忽然嘆通墜地。「怎麼？」獵人驚奇地喊了起來：「你造了甚麼惡業，會有這樣的果報？」

11

樵夫看著自己無手的殘軀，喃喃的說：「這是我應得的報應，那隻大熊待我如親生的孩子一般，我毫不知恩報德，更讓你射殺牠。這真是自作自受！」

獵人親眼目睹這件事，也不敢碰那塊熊肉，於是把那塊肉送到附近的一所寺廟裡去，想要將肉供佛。當時有一位阿羅漢在廟中，看見那塊肉便說：「任何人也不能夠碰這塊肉，更不可以吃它，因為這是菩薩的肉。那隻熊就是一位菩薩。他現身說法，令人警惕。」

屍體

有一天，離婆多出外散步，不知不覺迷失了路。他走到樹林裏，見到一間被人棄置的茅屋，決定在那裏留宿一晚。他剛踏入屋，不料看見一個厲鬼拖著一具人的屍體進來。離婆多被嚇得不敢動彈。一會兒，又有一個鬼風捲而來，他比第一個鬼更高大更厲害。兩個鬼為爭奪那具人屍，而展開搏鬥。第一個鬼堅持著那具屍體是他的，第二個鬼又想強佔，雙方激烈地爭執。結果，在混亂中，他們發現離婆多也在場，便

決定由他裁判誰是屍體的得主。離婆多想：我說那個鬼對，反正得罪另一個，不如說出真相，便戰戰兢兢地說：「那具屍體應該屬於第一個鬼，因為是他帶進來的。」

這時，第二個鬼大怒，一下子就把離婆多的一隻胳臂從他肩膀上扯下來。第一個鬼被判為屍首的得主，卻沾沾自喜，對離婆多說：「不要緊……這兒有。」於是他又使勁拔出屍體的胳臂，把它裝到離婆多的肩膀上。當時，第二個鬼又把離婆多另一隻胳臂扯下

來,而第一個鬼立刻又取屍體另一隻手臂把它安到離婆多另一邊的肩膀上。接著第二個鬼又把離婆多的頭扭了下來,第一個鬼又把死屍的頭裝回他身上,如此持續,把離婆多身上的肢節乃至各部份,都這樣扯下又裝回。這場鬧劇演完後,兩個鬼又繼續拌嘴,互相威嚇。

離婆多對現在這個「自己」,產生懷疑:「這個我現在是誰呢?」「這個身體是不是我呢?」「我現在是誰呢?」「不是我的呢?」這一連串的問題,如火燒心使他焦慮

不已,急切尋求解答。稍後,他經過一所佛寺,他知道廟裏的比丘,必定知道他是「誰」。於是立刻跑進廟去。見到第一個比丘,就迫不及待的問道:「我是誰呢?」,「我是不是原來的『我』呢?」

「你究竟在講甚麼?」他們問。於是離婆多便把前晚所遭遇的事情。一一告訴比丘。

比丘答道:「不要說現在這個『你』不是你,甚至你從來就不是你。我們本來的身體,衹不過是四大——地、水、火、風假和合而成的罷了!」離婆多一

聽,便豁然開悟,於是請求出家。出家後而證聖果。

● 你取了我的牛!

離婆多在佛陀座下出家後,就跑到山上去修禪定。他非常精進,不久便證阿羅漢果。離婆多有五百多個弟子,個個依從他的訓示精進修行,很快就開悟。這些弟子證果之後,便下山去把所學到的修行方法,教導其他人,只有離婆多單獨留在山中打坐。

他在定中坐了很久,出定時低頭一看,他的袈裟已被太陽曬得差不多褪成了白色,於是決定把衣袍重

染為灰褐色。他找了一些樹皮和樹根作為染料,當水煮成褐色時,便把袍投入鍋中攪拌。可是,愈攪拌,袍就像牛皮那般堅硬,鍋裏的液體也變得像血一樣紅。同時他發覺到樹皮和樹根變成了牛的肉和骨,從鍋子裏散發出一陣陣燴牛肉的氣味。於是他只有用蓋子把鍋蓋起來,坐在一旁入定,說道:「我的果報來了!我的果報來了!」

當時突然有個憤怒的看牛人疾步向他走來,破口咒罵離婆多說:「你這個壞比丘在鍋裏放了些甚麼?

我在一里外已嗅到燴牛肉味了。你宰了我的牛已犯了殺戒，還把牠煮熟了當做午餐！」隨即揭開鍋蓋，看見血淋淋的液體，和一塊一塊的肉和骨，還有牛皮浮在面上。看牛人便挾著鍋子往山下跑，向當地的縣官投訴。縣官問：「你有何話說嗎？」離婆多回答：「我沒有話可說。」於是他被判監禁十二年。

雖然他成為囚犯，但他仍然非常愛整潔，親自打掃監獄，對所有的囚犯也都很和氣。不久，這些監犯都被他的仁慈所感化，開始善待其他的人。

十二年刑期快滿了。離婆多的五百個弟子，雖然忙於教化眾生，卻都想念師父，決定一同上山看看他的近況如何？這班徒眾以天眼觀察，發現師父被冤枉判監十二年。他們都憤憤不平，便決定到當地的國王處，調查事實真相。由於他們具足神通，就飛到皇宮的屋頂上，表示抗議。

國王知道這件事時，他不得不撫心自問。徒眾既然很急切地質問他，這時，國王才知道被囚禁的是這些阿羅漢的師父，便立刻到監房去召見離婆多。他意

料中這個囚犯既然被誤判，一定是怒氣沖天，不料，見到離婆多時，發現他仍是心平氣和，並且，發現其他的囚犯也都被他的慈悲所感化。

國王正想向離婆多尊者道歉請罪，離婆多卻說道：「這是我的業報，是我應該忍受的。」

離婆多被釋放之後，他的五百個弟子齊問師父：「為甚麼說這是您應受的業報呢？離婆多就回答說：「我記得很久以前，有一世我是一個養牛的人。某一天，在山中失掉一頭牛。當時我見到一位辟支佛正在打

坐,我誣告他偷了我的牛。不但如此,還拉他下山去見當地的縣官。我為自己的論點力爭,縣官盤問了他十二個小時。因為這個緣故,所以今生要受被囚禁十二年的果報,來償還那筆債。」

從這個公案,我們應該深深了解:因果報應是絲毫不爽的啊!

大白象

一日,須菩提尊者問佛:「為甚麼菩薩有時候會化為動物身呢?」佛答道:「菩薩的心胸廣闊,他化現一切眾生身形,為了救一切眾生。即使被人攻擊或迫害時,不會還擊或生憤恨心,但他們還未能做到以仁慈心對待仇敵。他們只能做到不仇視敵人的地步,猶未能把敵人視同自己的子女一般。現在告訴你一個故事,來表示菩薩的行為。」

從前,有一位大菩薩,示現為一隻雄糾糾的六牙

大白象,到世上化生。因為這隻大白象長得非常雄健,所以很多人都想捕捉牠。有一天,當那大白象正在散步時,一個獵人竟然用箭瞄準象王的心臟。大白象預料獵人這種行動,一定會立即遭到象羣的圍攻。大白象為了保護那個射殺牠的獵人,便即刻伸出象鼻把獵人捲起。並且教訓旁邊那隻憤怒的母象——牠的妻子,道:「妳既然是菩薩的伴侶,又怎能生瞋恨心呢?他射殺我,只不過被煩惱所驅使罷了。」於是便轉過頭問獵人:「你為甚麼要射殺我呢?」

獵人回答道:「因為我想得到你的象牙。」

大象對妻子說:「現在你明白了嗎?」於是勸導妻子不要攻擊他,並且用象鼻把自己的象牙拔出,送給獵人,說:「你已經得到你所要的東西了,現在離去吧!牠們不會傷害你了。」

象王菩薩給整個象群上了一課,教導牠們如何以慈悲為懷,所謂「無緣大慈,同體大悲」。

佛陀總結說:「這就是菩薩對待敵人的方法。」

懊悔的大蛇

從前,有一個很勤勞的人,他原本並不富有,可是他視財如命,熱愛黃金,所以他努力工作,拼命賺錢,分文都捨不得用。把銅錢積蓄到夠了,便去金舖換金塊。這樣一年又一年,漸漸儲蓄了有七罈金子。

工餘時間,這人就坐在房中看守著七罈金子。常常恐怕被別人偷走,甚至有朋友來探望他,也總是提心吊膽恐怕別人伺機來打劫。就這樣終日焦燥不安,很快便病倒了,但他仍然捨不得掏腰包去看醫生。病

至奄奄一息時，仍然放不下金子。最後無可奈何便死了。

死後轉生為蛇，循著老路，回到藏金子的房間去把守。由於大蛇老是守著金子，所以房子一直空著，沒有人敢去住。他生生世世無止息地轉生為蛇，如是持續了一萬年。終於，有一生他有了一點理智，覺得這樣看守著七罈金子，實在是很愚癡的行為。「我不願再轉生做蛇了。」他下決心想：「看守這些錢，真是沒有意義，我要有一番作為，但我要怎樣才可以擺

脫這個罪惡的圈子呢?」這條蛇忖度著,如果做一些好事,例如做功德幫助他人,可藉此功德脫離蛇身,而轉生到善道中。但從何做起呢?首先一定要先離開這房子,於是大蛇便爬到路邊去,躲藏在草叢中。牠就在那兒注視路人,直到牠看見一個五官端正,相貌長得忠厚老實的人。大蛇在他經過時便爬到路中去,當然把那人嚇得拔腿就跑。「不用怕!不要走開!」大蛇對路人說:「我不會傷害你,只是想求你替我做一件事吧了!」

「但我知道蛇都是有毒的,所以我不要接近你。」

「我真的不會傷害你。」大蛇又說:「我需要別人的幫助啊!」

路人答道。

那人大發慈悲,慢慢地走近大蛇身旁,聽牠一十一十的訴說牠的故事。大蛇說道:「我希望你來取金子,為我安排到廟上去供齋。選定供齋的那天,求你帶我到廟裡去,讓我隨喜參加,並且在佛前頂禮,但願能積一點功德。」

30

「好吧！」那慈悲的路人答應了，立刻為牠安排一切，到廟上找到負責人，把遇到大蛇的奇異經過及大蛇的請求，告訴廟上的人。

法會那天，路人帶同大蛇和金子一同赴會，把蛇放到背囊裡，背著牠走路。又為了避免大蛇被太陽曬傷，而用一塊布把蛇輕輕地蓋著。在途中，有一個人向他打招呼，問了三次：「你去那裏？準備做甚麼？」但這人只顧背著大蛇向前走，沒有回答。大蛇本性暴戾，便怒火高昇，正準備把他咬死，可是用心一想

「他是我的恩人。不應該傷害他,更不可咬死他!」

牠只好盡力壓制自己的火氣。

那人行了好一段路,終於,蛇忍不住了對他說:「你還是把我放下來一會兒!」那人聽從牠的吩咐。

大蛇立刻暴跳如雷,破口大罵:「你怎能這樣貢高我慢呢!那個人只不過問你很簡單的問題罷了,你竟然置之不理,簡直不通人情⋯⋯。」牠絮絮不休地責罵那人,那人亦同意大蛇的說法,他承認過錯,並且答允以後不再重犯。大蛇總算發洩完了牠的憤怒,便命

令那人繼續前進。終於抵達佛寺。

佛殿裡，氣氛莊嚴肅穆。住持領著僧眾次弟進入齋堂。大蛇看見每個僧人都是那麼威儀具足，正氣凜然，於是歎未曾有，心中慶幸有這個機會能供養他們，並一同禮佛。用齋完畢，住持說法，大蛇得到法喜充滿。牠大受感動，便對住持說：「我還有六罈黃金要送到廟上，可以用來做佛事。」

藉著供齋及供養三寶的功德，大蛇死後乃轉到三十三天，天福享盡、轉生為人，值佛出世，他便出家修行，後成佛陀慧智第一的弟子——舍利弗尊者。

海龜王

從前,有一位菩薩,為教化水棲的眾生,化身作一隻巨大的海龜,住在海裏,引導蝦蟹魚鱉等水族動物修道守戒,互相融洽共處。

有一天,海龜爬到沙灘上,在和煦的陽光照耀下,感到昏昏欲睡,終於睡著了。牠入睡不久,一羣商人便跑到龜背上開設店舖。海龜的身體如此龐大,所以商人們沒有留意到這是「龜背」,還以為這是沙灘上一塊土地哩!他們在龜背上開設商店和住宅,有車

輛交通往來，又畜牧牲口，並且生火煮飯。最後終於把海龜吵醒了。尤其那熊熊烈火，使牠感到渾身不自在；建築物的重壓，加上炎熱的火熖，怪難受的。牠想轉身回到海裏去，讓浪花冷卻熱騰騰的身體。但牠知道如果移動身體，不但會傷害到背上的眾生，並且嚇壞了他們。於是大龜只好默默地忍受著。有一天，牠稍為爬動了一下，想散發熱氣。這時住在龜背上的居民立刻騷動起來，「地震呀！」他們四處奔跑呼喊。海龜又慢慢地爬到海邊，稍微浸浴到水中，希望可

以減低痛苦。當牠背上的居民見到海水從四周圍湧來，就更焦急了，他們嚷著說：「洪水呀！我們所有的人都快被淹死了！」

海龜聽到他們驚慌地大叫，便對他們說：「不用怕，我不會傷害你們。你們不會倒下來，也不會溺死。你們看，我是一隻海龜，而你們卻在我背上建築樓房呢！」

海龜便掉頭把身上的重擔——那羣居民慢慢地帶回安全的乾地上，當他們從海龜背上爬下來時，他們

37

大受感動,便向海龜頂禮並且發願:「你真是一位菩薩啊!救了我們的性命,將來您成佛時,請救度我們。」

後來,海龜果然成佛了——正是釋迦牟尼佛。那五百個住在龜背上的商人轉生為舍利弗和他的五百個弟子。他們受佛教化後,都能了生脫死,證到聖果。

祇樹給孤獨園

在舍衛國有一位長者名叫須達多。他信奉佛法。因為舍衛國人不懂佛法，所以他決定請佛來說法以教化城中的人。他向佛提出這個請求，佛便告訴他，先要為佛的弟子們準備安居之所——一個寂靜的「阿蘭若」，佛才可以在此地講經說法。

須達多長者很興奮地開始籌備一切。由於舍利弗尊者的才智過人，有大神通，並且具足威儀，佛便派遣他去幫助須達多。須達多問舍利弗：如果佛不用神

通時，一天可以走多少路程呢？答曰：「佛一天大約可走二十里——相等於轉輪王一日可以走的路程。」

舍利弗與須達多一同到舍衛國去，他們在每隔二十里便為佛陀安排了一個舒適的休息所，讓佛到舍衛國時，中途歇息。抵達城中，舍利弗尊者和須達多尊者便立刻到處訪尋適合的地點。可是，發現除了悉達太子的園林之外，再沒有適合的地方了。他們便與太子商議，請他捐出園子來供養佛。終於由太子及須達多長者共同建築祇桓精舍來供養佛。

此時,城中有六個外道的首領,聽聞佛要在城中設立道場的風聲,立刻謁見國王,說:「我們不要他來,我們要與釋迦牟尼及他的弟子們作一個公開的辯論,看看他能否把我們辯倒。如果他們贏了,就另當別論。」

國王乃召須達多入宮,把這件事告訴他。須達多得到這個消息後,感覺非常為難,終日垂頭喪氣。當他再次遇到舍利弗時,舍利弗見他頭髮蓬鬆,衣冠不整;滿面愁容,便關心地問道:「發生了甚麼事嗎?!

究竟甚麼事情令你這麼沮喪呢?」須達多說:「我想,我們不能在祇桓精舍設立道場了。」於是他把國王召見他的情形詳細的說了一遍,舍利弗尊者答道:「是比賽這件事使你悶悶不樂嗎?你不用擔心!我能應付這六個外道論師和他們的弟子。就算他們和所有閻浮提的外道聯合來對付我,也難動我分毫!就讓他們來吧!」

須達多長者聽了後,立刻沐浴更衣入宮稟告國王:「我們接受挑戰!」比賽就定在七日後舉行。

到比賽那天,王宮裡擊金鼓來召集羣眾,全國人民即從四面八方湧而來。情勢好不熱鬧!當時有三億萬門人包圍著六個外道論師的法臺,法臺的另一面為舍利弗設立了一個座位,只有須達多一人陪同。舍利弗靜靜地坐在樹下入定。他思惟觀察這些觀眾們:「這六個論師和他的弟子們都非常貢高我慢,到底憑甚麼德行來感化這些人令他們生恭敬之心呢?」於是他想:「如果往昔無量劫中我能孝順父母,時刻敬奉僧人,別人亦自然會尊敬我吧!」

當時,沒有人留意舍利弗尊者已坐在樹下。六個外道論師還以爲他不敢應戰。他們昂視闊步地去謁見國王說:「釋迦牟尼佛的弟子根本不敢露面,但這也難怪他,必定是他自知不是我們的敵手。」國王召見須達多說:「你師父的弟子在那裏?快找他來,比賽就要開始了。」

須達多跑到舍利弗跟前合掌跪下,輕聲地說:「尊者!羣衆都已抵達,比賽時間到了。」舍利弗從容不迫地出定,站起來正氣凛然,有如雄獅。當他經過

人群,大眾不約而同地向他稽首頂禮。這皆因他的威儀,自然地攝伏大眾,令他們油然地產生起恭敬心。

六個外道的弟子中有一個叫勞度差,精於神通,此時他搖身一變,成為一棵綠葉婆娑的大樹,樹上掛滿果實,非常壯觀。群眾驚奇地說:「噢!勞度差化身了!」這時舍利弗卻變成一陣狂風,把大樹連根拔起。群眾吶喊著:「舍利弗勝利了!」

接著勞度差變成一個長滿蓮華的池塘,七寶莊嚴,群眾都齊聲讚歎這個美輪美奐的池塘說:「勞度差

又化身了!」這時,舍利弗卻變成一隻六牙大白象,每隻象牙上有七朵蓮花,在每朵蓮花上有七個冰清玉潔的少女,大白象昂然慢步地走到池邊,把池水喝光了,羣眾嘩然:「舍利弗勝利了!」

勞度差又變成一座由七寶砌成的高山,旁邊有泉水灌注,林木花果茂密,羣眾不禁讚歎說:「勞度差又化身了!」此時舍利弗變成金剛大士,手持金剛杵,把寶山摧得粉碎。羣眾叶嚷著:「舍利弗勝利了!」

勞度差又現作一條十頭蛟龍,從空中降寶石雨。

於是舍利弗搖身變成一隻大鵬金翅鳥，一口把龍吞噬。群眾喝采說：「啊！舍利弗又勝利了！」

勞度差又變成一頭力大無比的牛，兩角銳利。那牛將頭略垂，正預備衝前攻擊，群眾皆後退大叫道：「勞度差又化身了！」舍利弗變成一隻大獅子，一口把牛吞噬。群眾歡呼！「舍利弗勝利了！」

勞度差又變成一隻面目猙獰的夜叉鬼，形體龐大，頭上有火焰四射，眼如血池，口中噴火，四處跳躍

49

，周旋於大會中，把各人都嚇壞了！「勞度差又化身了！」他們喊叫著。舍利弗卻化成毘沙門天王。夜叉鬼見到天王出現，就害怕得很，立刻轉頭就跑。可是，除了舍利弗那邊之外，四周突然發起熊熊的火焰，勞度差唯有俯首稱降，求舍利弗放過他。火焰立刻熄滅，羣眾歡呼：「舍利弗勝利！勞度差被戰敗了！」

於是舍利弗又升到空中大顯神通。先在虛空中現行、住、坐、臥四大威儀。身下出火，身上出水；稍一會變作身下出水，身上出火。忽東，忽西，忽南，

忽北。身體忽大忽小，變成千百億化身，又復合為一體。又飛天遁地，通行無礙，隨意變化。他示現十八種羅漢神通後，就端坐在大會中。舍利弗這樣顯神通，整個大會中的群眾都生大歡喜心、大敬仰心。於是，舍利弗給他們說法，使他們福慧增長。會中所有人都按照以前的因緣，得證不同的果位。六師徒眾三億人都跟從舍利弗出家。

降伏了外道，舍利弗尊者便與須達多長者回到祇樹給孤獨園，正要量地籌備興建道場時，舍利弗忽然

微笑。須達多問：「尊者，您為甚麼微笑呢！」舍利弗回答：「由於布施這個園所造的功德，使你可以生到天宮去。」須達多當時就藉著舍利弗的神通，能看見六欲天的境界。他問舍利弗說：「尊者！昇那一層天最好呢？」舍利弗答：「最低三層天耽著欲樂，所以最好不要轉生到那兒。最高兩層天雖然脫離一切世間法，但那裏的人自高自大，自以為了不起。最好是生到欲界中第四天——兜率天，那兒是補處菩薩所住的地方，在那層天中又有機會親近佛法。」

舍利弗忽然面露愁容。須達多即問道：「尊者，有麻煩嗎？」舍利弗回答：「你看見這地上的螞蟻嗎？」須達多答：「看見。」舍利弗告訴須達多說：「以前在毘婆尸佛時，你也是以這個地方來供養佛，建立精舍。你現在看見的螞蟻，在那個時候已經是螞蟻。在尸棄佛、毘舍浮佛、拘留孫佛、拘那含牟尼佛、迦葉佛，你也曾經用這個地方來供養於佛，而這些眾生相繼出生於世，仍是轉生為螞蟻。現在你用這塊地來為釋迦牟尼佛興建道場，看這些螞蟻仍然未脫螞蟻

之身。我因為看到一旦墮落畜生道便難超出，而生悲哀。從開始到現在，那些螞蟻已經過九十一個大劫生為螞蟻了。」

（16,798,000年為一小劫；

335,960,000年為一中劫；

1,343,840,000年為一大劫；

（84000－10）×100×2＝小劫

小劫×20＝中劫，中劫×4＝大劫）

長者須達多用栴檀木來建造了一所寬敞的房子，

能容納一千二百五十五個比丘。精舍內有一百二十處打梛。須達多知道這正是迎請釋迦牟尼佛來舍衛國的時候了,但恐怕不預先通知國王,國王會不高興。於是他去請求國王的同意,結果,國王不但歡迎佛,更堅持要設官式款待來迎請佛駕光臨舍衛國。

當佛來到時,照耀整個三千大千世界,大地震動,天樂自鳴,聾殘瘖啞的人們都得恢復正常,男女老幼一切國民看見這靈驗的感應,都歡喜雀躍,同來佛前,一千八百萬人齊集園中,聽佛說法。各人按不同

的因緣證得初果、二果、三果、四果阿羅漢。有些成辟支佛。有人更發心求無上菩提。

當須達多臨命終時，佛印證他已證得三果阿羅漢。他死後果然生到兜率天中。我們怎樣會知道呢？因為須達多生到兜率天時，他亦不願意離開佛。仍要再次稟告佛，他往生的地點。於是有一天，一道金光照耀園子，須達多走到佛前，説：「我是須達多，又名阿那邠邸。」

顛倒的龍

從前,有一位羅漢常往龍宮去,為龍王說法。每次他都帶著他的鉢,到龍宮去應供。為龍說法後就返回廟上。每當應供歸來,便把鉢交給小沙彌洗淨。有一天,鉢裏留著幾粒飯,小沙彌拿來吃,覺得香美異常。他想:「這種飯不是世間所有的!下一次,我要跟師父一同去,看看可否再嚐這種美味。」

第二次,師父乘著繩床出發,小沙彌便躲在繩床底下,藉著師父的神通,一同赴龍宮去。當龍王看見

有兩個客人來,心想:「另一個人是誰呢?他並沒有神通,怎能來這裏啊?!無奈我只好同樣供養他吧!」

小沙彌定力不足,於是便四周張望,還被風姿綽約的龍女們,富麗堂皇的皇宮和威嚴的龍王所吸引。

於是他下了這個決心,希望我也變成一條龍。

當時,龍王請求羅漢不要再把青年人帶來。小沙彌回到廟上之後,時時懷念著龍宮,在腦海中總幻想自己來生是龍,可享龍宮的快樂。隨後他精進修行,在廻向功德時,本來應該說:「願生西方淨土中。」

他卻改了說：「願生做一條龍。」他終於被這個念頭迷住了。在打坐時，他看見在廟底下一個大池塘，以為自己可得償宿願，乃向著池塘衝去，把他的海青往腦後一拋，跳進池裏，在池中淹死了。他當然轉生為一條巨大的龍啦！長得比原本住在池中的龍還要巨大。他與那條龍搏鬥，第一回合就把那龍咬死，弄得滿池血紅。從此，他便在池中稱王稱霸。每當有僧人來勸諫他，就對他說：「你真是顛倒！」那個沙彌轉世的龍，對他們置之不理，還對自己的選擇──成龍──非常自滿哩！

愚生死長

佛住世時，舍衛國的國王，名叫波斯匿王。有一天正逢節日，他到城中參加節慶的活動。由於他是一國之君，在街上巡行時，當然吸引很多人注意。這時，有一個婦人打開窗戶，希望一覩國王的豐彩。國王被她的美貌迷住了，婦人看了一會便把窗戶關上。可是國王對她卻不能忘懷，竟然生出非分之想。回到皇宮時，國王問侍從有沒有注意到那個在窗旁觀看的美麗女人？侍從答：「看到了。」

「你覺得她漂亮嗎?」侍從回答的確很美,於是國王命令那侍從查探那女人是否已婚?稍後,侍從回報,那女人已經結婚。國王便降旨:「令她的丈夫來,我要召見他。」

那女子的丈夫既被國王召見,便謹慎從事,準時朝覲國王。國王命令他說:「從現在起,我要你做我的私人侍從,你要時刻隨侍在側,聽我的差遣。」

那男子原是窮苦人家出身,要當國王的侍從,不免害怕,便恭敬地向國王請求,希望以工資納稅,來

代替差使。但國王拒絕他的要求。因為國王別有用心特意要找他的錯處哩！那男子殷勤地工作了一段日子，所行所作都中規中矩，國王不但找不到他的錯處，更找不到殺他的藉口。

漸漸的，國王不耐煩了，他便想出一個計謀來，令侍從必定出錯，然後借故殺他，便能將他的妻子佔為己有。於是，一個早晨國王對侍從說：「今天我有一件差事要你去辦，你去某某河，取一朵青蓮花和紅色的淤泥回來，一定要在我下午沐浴前把這些東西帶

回來。」國王知道只有到龍宮,才可取得青蓮花和紅泥。他肯定這個頭腦簡單的侍從,一定沒法取到。如果他取不到那些東西,就可以名正言順把他定罪。

那人焦慮萬分,趕快回家去,一進門就對妻子說:「給我包些午餐,國王差遣我出外辦事,要在他今天下午沐浴前趕返——快點!」他的妻子趕忙把食物塞進一個袋裏——有一些新鮮的,和一些舊的殘菜。他拿起袋便走。一路上他只管趕路,根本就不敢停下來吃東西。肚子餓時,就一面跑一面伸手入袋裏拿東

西吃。他只吃妻子為他包的舊菜,小心地把較好的食物留起來。稍後,他遇到一個路人,他便從袋中取出較好的飯菜,施贈給路人。路人欣然接受,把食物吃了。

那人忽忽忙忙地趕路,終於到達指定的河邊。首先他把餘下的好飯散到河面,叫嚷:「來啊!魚兒,吃這東西,這是我給你們的禮物。」然後又大聲喊道:「龍王啊!今天我施贈了一客好飯給一個路人,這樣造了一些福,剛才又把其餘的午餐,餵了河裏的魚

，積了多些福報。我願意把所積到的福報廻向給你，求你給我一朵青蓮花和一些紅色的淤泥。」

龍王聽到他的話，便化身做一個老翁，來到河邊，說道：「甚麼？你再說一遍。」那個侍從再重覆說他奉獻和請求。老翁還不敢相信又問道：「你說甚麼？」他又再講述他的奉獻。龍王再三細聽這個人的話，知道他是說老實話，便說：「你的確願意把你今天所積的福報送給我嗎？好吧！那麼我就把你所需要的東西給你，做為交換。」隨即把一朵青蓮花和一些紅

淤泥給了那個侍從。

那侍從隨即算著時間，盡快踏上遙遠的歸路，趕回皇宮去。豈料，國王滿腦子壞主意，他肯定侍從不可能取到他所要的東西，但是如果………，為了確保萬無一失，他決定比平日提早沐浴，還把皇宮的大門鎖了，並且把鑰匙放在浴室裏。那麼，就算那侍從及時趕回，他也不能進來，或者進來了，但國王已出浴。這樣國王就有充足的理由，能以其辦事不當的理由來定他罪。

侍從及時趕回皇宮，可真鬆了一口氣。但是，他發覺皇宮的大門緊閉著！他一面敲門一面高聲呼喊，叫喚守門的人，但對他毫無用處，因為守門人沒有開門的鑰匙。守門人從窗戶探出頭來說：「國王今天把鑰匙拿走了，我沒辦法讓你進來！」

這時，侍從為了教人知道他已完成任務，便不顧一切，把紅泥糊在門檻上，又把青蓮花掛在門上，大喚宮中的人出來⋯⋯「你們請來為我作見證啊！我受命去取青蓮花和紅泥，我已在指定的時間前取回來了。

」無論有見證與否?!大門仍緊閉著。侍從鬱鬱不樂地站在外面,知道他失職了。後來,他掉頭走了,猶豫著到那裏留宿一晚呢?想起在皇宮附近有座佛寺,他決定到那兒,自言自語說:「那些出家人都很慈悲,他們一定會留我過一夜。」

這晚國王在宮裏忙著打算明天如何借故奪得那侍從美麗的妻子,興奮得心花怒放,想東想西,根本就不能入睡。直至更深人靜,他仍很清醒。午夜時他忽然聽到四個恐怖的聲音:「嘟!哂!啦!囌!」

「究竟這是甚麼意思呢?」波斯匿王對這些震人心弦的聲音猶疑著,……「是否有人要篡奪我的王位呢?是否預兆我快將死亡呢?」這時他更不能入睡。時間慢慢的過去……,終於到清晨,他完全沒有睡著。他一起牀就召見相士,從速來研究。相士來到朝廷,國王把晚上聽到的聲音,重覆說給相士聽,問道:「這是甚麼意思?」

其實,相士毫無頭緒,完全不知道是甚麼意思,但恐怕失了自己的尊榮,唯有搪塞道:「噢!這……

這……不太吉祥！」

國王逼問道：「關於那方面？詳細的告訴我！」

相士說：「意思是陛下面臨死亡。」

國王問：「有甚麼辦法可以改造命運嗎？」

相士胡扯：「可以的，你要蒐集一百頭大象，一百匹馬，一百頭公牛，一百頭母牛，一百隻羊，一百隻雞，一百個童男，一百個童女來獻祭，這樣或可改造您的命運。」國王立刻下旨徵集各種動物和人，每樣一百，限期送到，否則，要受處罰。老百姓們戰戰

兢兢，不只將每類蒐集了一百，而是各送來了五百！你可想像大家為國王準備了那些牲口，送到宮中「咩」、「嗚」、「唔」、「唉吔！」，嘈雜萬分！這些聲音傳到皇后茉莉夫人的耳中，她便到國王的殿中問道：「今天發生了甚麼事麼？有甚不能解決嗎？」國王向她敘述昨夜不能入睡的事情，及相士建議如何避厄運的方法。茉莉夫人只是站著默默的凝視著國王。等他講述完後，茉莉夫人說道：「你的意思是犧牲所有這些生命來作祭祀嗎？恃著你個人雄厚的財富和權

力,高高在上,為了救你一人的性命,甘願犧牲這麼多眾生的性命嗎?你真是太愚癡了!我們快些去找佛陀吧!他有過人的智慧,定可知道怎樣好好地解決這個問題。」

國王乃陪同王后,一起到祇桓精舍去找佛陀,頂禮後便站在一旁。波斯匿王因為面臨劫難,被嚇得目瞪口呆站在一旁。佛陀鼓舞他道:「嗨!大王,甚麼事把你今天帶來這裏呢?」國王愁眉苦臉,仍是一言不發。茉莉夫人首先講述昨晚國王聽到那四種聲音,

及一連串籌備祭品的事件。等她講完後，佛陀便安慰國王說：「不用擔心，不用怕，那些聲音不是表示你快將死亡。」

佛陀隨即解釋這個公案：「在迦葉佛時，有四個兄弟，擁有萬億家財。他們這樣富有，卻不知如何利用這些金錢，於是聚在一起商量。第一個說：『迦葉佛在世時，他造一切善業去利益他人，我們何不將錢布施去支助佛的工作？我們又可以布施給窮人、年老無依的人。』但其他三兄弟都不同意，第二個想，他

們何不用錢來買美酒佳餚,山珍海味,又可享受上乘的衣服和樓房。第三個想,他們可以買舟車輪船,到世界各地去遊山玩水。第四個想,如果他們向美麗女人獻殷勤,可以取得她們的歡心呢!其他三兄弟一致認為是好主意。於是他們把時間和金錢統統花費在美貌的女人身上。他們所追求的大半都是有夫之婦,儘做這些無恥的事。由於他們造了這些惡業,身壞命終墮到阿鼻地獄,受無間之苦。在那裏經過許久,終於期滿,可脫離阿鼻地獄了,又轉到另一所地獄去——這

次是油鍋地獄。這個地獄是一鍋巨大無比的熱騰騰的滾油,無時無刻不在沸騰著。罪人從滾油表面慢慢沉到鍋底,又從鍋底浮上油面,時刻被沸油煎滾著。從滾油的表面沉到鍋底要三萬年,昇回表面又要三萬年,而這只不過是一個回合罷了。當他們浮上油面,四兄弟正伸出頭想要說話,立刻又開始第二回下沉。因此他們只說了第一個字,一個兄弟喊『嘟!』另一個說:『哂!』另一個『啦!』,最後一個說『嚇!』你猜一猜他們正想對別人說甚麼?」佛陀問聽講的人

佛陀繼續說:「第一個兄弟準備說:『你知道我們一生中所做的儘是邪惡啊!我們富有時,沒有布施以利益他人,反而恃財行惡。』

第二個兄弟正想說:『真難受啊!我已捱苦六萬年了,有誰知道何時何日我們才得脫離呢?』

第三個正要說:『回想當初,我們嬉笑開心的造了罪過,而這果報可真是痛苦難當。』

第四個正要發心說:『將來我如果有機會再生為

人，我一定盡力做好事，大布施，勤修行，守戒律，和行大道。』他們每人只足夠時間說出第一句的第一個字，即刻又下沉油鍋。而那四人一字，在當時的語言就是「嘟」、「哂」、「啦」、「嚟」。

國王聽了這個故事，立刻想及自己正用的計謀，本欲解決美貌少婦的丈夫，佔有其妻——正是造這四兄弟以前所造的業，將來不免同他們一樣的下塲。國王嘆了一口氣，對自己說：「噢！我真慶幸尚未採取行動。從現在起我不再貪戀美色——尤是有夫之婦。

於是他高聲地向佛陀說:「世尊!昨晚是我一生最長的一夜!」

小讀者們,你們還記得那侍從跑到廟上去留宿嗎?在國王和王后請教佛時,侍從也在大眾中。現在他上前說道:「世尊,昨天我走了有生以來最長的一里路!」

佛陀聽了他們的話,和藹地微笑著說:「不寐夜長,疲倦道長,愚生死長,莫知正法。」

這偈頌的意思是說:失眠的人感覺黑夜真漫長啊

!疲乏的人,走起一里路也覺得那麼遙遠。愚癡的人生了又死,死了又生,長遠地在輪廻的圈子裡環轉,因爲不知道正法的緣故。

國王聽了這一番訓示後,回到皇宮去,立刻把預定用來祭祀的牲口釋放。五百個童男童女都歡天喜地叫喊:「茉莉夫人!茉莉夫人救了我們!」皇后依賴佛的智慧,果然把問題解決了。

佛說那首偈頌,後被編入法句經,傳至今日,仍由比丘們誦念。

有一次，有一位婆羅門從廟前經過，聽到有人背誦這偈頌，最後兩句深刻印在他心中。

「愚生死長，莫知正法。」他不明白究竟是甚麼意思。這婆羅門是城中的皇族，不但富有，而且又有美貌的妻子，與生俱來已擁有一切。他在心中翻來覆去的思量這首偈頌。終於，有一天他跑到廟上去，希望對那首偈頌的含義知道多一點。他看見很多僧人圍著佛陀，就恭敬地禮拜，問道：「佛陀，將來有多少位佛會出現於世界呢？」佛陀答：「將有恒河沙那樣

83

多佛出現於世。」

彩烈地說：「好極了！我將有機會大做佛事？」

他滿懷高興地向佛頂禮道別。在路上他又想起：

「噢！我只問了佛陀，將有多少佛出世，卻忘記請問佛陀，以前曾有過多少佛呢？」他便轉回廟裏，頂禮佛足，請問佛陀這個問題。佛陀回答：「數目也是如恆河沙一樣多。」婆羅門聽到不禁不安起來，心想：

「我怎能錯過這麼多明白真理的機會呢？過去已經有這麼多佛出現於世，但我仍然在輪廻中受生死，我可

不能再錯過恆河沙數未來諸佛，一定要開悟。難保來生再生為人，還是把握今生遇到佛陀這機會吧！」於是他發心出家，成為僧人後，精進修行，終於證得阿羅漢果。雖說富貴學道難，但這婆羅門仍然辦到了。

你是人否？

人身難得。可是，要出家，就必須生為人，才能出家。從前有一條龍，非常羨慕出家人，覺得出家是最殊勝的事情，便化身為「人」，來到祇桓精舍請求出家。佛陀的弟子們沒有辨認出牠是龍化身，便為牠落髮。

龍雖然有神通，可以暫時現「人」形，但是睡覺時是卻保不住的。龍都喜歡睡覺，這條龍也不例外。在寺中他與另一個僧人同住一個房間。有一天，趁同

房那人出外乞食,這條龍心裏便想:「這回我可以睡個痛快了!」他躺在牀上,睡著了,便不能再保持「人身」,即刻現出原形——一條大龍,躺臥在睡褥上。當同房那人回來時,打開門一看:「喲!」立刻使勁把門關上,放聲大叫:「蛇!!!有大蛇!」驚動了整個寺院。僧人們紛紛跑來,打開門時,房中除了那位比丘外,甚麼也沒有,只見他躺在睡褥上。「怎樣啦?」眾僧追問著。

見到龍的僧人大聲說:「真的!我剛才回來時,

這裏的確躺著一條大蛇，這是千真萬確的事，並非妄言。」

所有僧人都跑到佛陀座前請問佛。「龍化身的僧人」承認他本來是一條龍，但為了出家，所以化身為人。從此，佛便訂立一條規則：凡是有人請求出家，或受戒時，必須被問道：「你是人否？」甚至現在，授戒前仍有這樣問話。雖然這樣問，仍有漏網之魚。

又有一個阿修羅，同樣欽仰出家人，他也想做僧人。天龍八部也有神通，於是他變化成「人」來求出

家。僧人們認不出他本來面目，遂允許他出家。大家一直相安無事，直至有一次五百個僧人被請去應供。阿修羅爭先跑到行列的前面，走到供齋的地方。因為阿修羅原形，身軀龐大，食量驚人，他把五百個人的飯一掃而空，全部吃光了！上供後，僧侶們來準備用膳，發覺一無所有，廚子們大為驚訝。結果人人指著阿修羅說：「他把所有的飯都吃光了，還說沒有吃飽呢！」

僧人們把阿修羅帶到佛前，他被問話時，承認他

只是阿修羅偽裝的人罷了。於是此後每當人請求出家，或受戒之前，一定先問：「你是人否？」

他忘了一切

從前,有三位論師,第一位名叫無著,第二位名叫世親,第三位名叫師子覺,是三兄弟。他們都發願往生兜率內院。他們想:在那兒能聆聽彌勒菩薩說法,實在最好不過了。他們還約定,誰先往生,就必須向其他二人回報兜率內院的情形。

後來,師子覺先死去,可是他很久沒有回來報告實情。其餘二人就抱怨他:「發生了甚麼事呢?他竟然忘記遵守諾言。」

其後,第二位論師世親去世,只剩下無著一個人在等待音訊。過了整整三年了,世親才回來告訴無著是怎麼一回事。「你去那裏呢?這些日子你做了甚麼啊?自從你死後,我等你這麼久了,現在才回來。」世親連忙解釋道:「我到兜率內院,只聽了彌勒菩薩說了一會法,就立刻回來,向你報告那兒的情況。並不久呀!」可是他忘記了在天上度日比地上快很多呢!人間的一年等於天上一剎那。無著問道答道:「我們的老朋友怎樣了?最先去世的那位,他怎麼音訊

全無呢?」世親答道:「噢!他嗎!他已生到兜率天了,不錯,只是誤生到兜率外院,而不是兜率內院。最遺憾的是他忘卻了修道,在天上只是終日享樂——沉醉於珍貴的食物、華衣、美女、天樂,在天宮中嬉戲作樂。是故我再提醒你,發願投生到天上要分外警惕,因爲天福不究竟,若只躭著享樂而忘了修道,到天福享盡時還是要墮落六道輪廻呢!」

蕭兒奮勇救弟

太陽剛從山上昇起，蕭大嫂及蕭兒和所有村中的婦女們，都提起洗衣籃到河邊去洗衣服。

河邊一片寧靜。較大的女孩們幫忙，把一束一束的衣服拿到較深水處給媽媽洗淨後，又把衣服拿回岸邊去。較小的孩子就在河邊、或淺灘上嬉戲。只有蕭跂兒獨個兒坐著，不能和其他人玩耍。媽媽常說她一點也幫不上忙。

這些日子，全村的男丁都去爲國王拓建新路，家

中老幼都在生病。蕭跛兒的祖母和弟弟都病倒了,她無話可說,一個跛女孩可做些甚麼呢?真希望病的是自己,而不是弟弟。

蕭兒想念著弟弟,便沿著河邊採了一些花,希望帶著鮮花,回去安慰弟弟。

她留下媽媽在河邊,一手執鮮花,一手扶著拐杖緩緩地,躑躅回村裏去。

平日,祖母常常坐在屋前。今日,她卻仍在屋裏。蕭兒入屋時,她還躺在牀上。房中悶熱黑暗。蕭兒

柔和地說:「我帶了些花給廣兒。」祖母苦惱的說:

「花是沒有用的。一定要有人到老瀑布大師那兒,請教他怎麼辦才行!」蕭兒知道有這麼一位老法師,獨自住在瀑布附近一個大山洞中,從不跟人說話。瀑布高得像一幢房子,澗水沖激的聲音,如巨人怒吼。想起這位瀑布大師,她就非常駭怕。

祖母說:「一定要去找他,如果你爸爸在家,他一定會去的。」

蕭兒靜靜地聽祖母訴說。祖母哭了,蕭兒握著祖

母的手，默默無言，後來她問道：「如果沿著河流走，可以去到瀑布嗎？」

祖母說：「可以。但所有男人都出門去了。」

蕭兒沒有答話，她只是抓著祖母的手，一邊望著弟弟，他的臉熱滾燙，直嚷著說口渴，但他又不能飲蕭兒帶回來那些冷泉水。

中午，蕭兒的媽媽洗完衣服歸來，責罵蕭兒說：「原來你在這裏。我不知道你跑到那裏？你不能幫我，還給我麻煩。」蕭兒的媽媽把洗的衣服放到後院，

問蕭兒道:「把水桶盛了水沒有?」

「沒有啊!媽媽。」

「趕快把它裝滿水。你這樣懶惰!」蕭兒提著水桶到村中的井去打水,沿著河流遠眺,慢慢地向上游望去,但見河流繞過山邊的樹林,隱沒在山上,綿遠悠長。隨後,她提起水桶返回家去。蕭兒把水桶放在門旁。媽媽又吩咐她說:「替廣兒把柴箱載滿。」蕭跋兒點點頭便外出。屋內氣氛陰森,令她心裏納悶,故她也樂得去拾柴枝。她可一邊做,一邊望著河。

這是蕭兒總覺得此處離山不很遠，老法師一定會滿她的願。她更努力的拾柴枝，很快便把柴箱填滿。

回到家中，媽媽遞了一碗飯給蕭兒吃。蕭兒沒有作聲，但她見媽媽顯得更焦慮。聽到弟弟在房裏呻吟，他雖口渴，卻不能飲水。蕭兒瞧著山谷，朝著河流至山上滙合處遠眺。她心想：「不會很遠吧？」但她可否走這樣遠的路途呢？她暗自思量：「我可以一步接著一步的走。」

蕭兒離開村莊時，太陽正高懸頭頂，她沒有告訴

任何人她去那裏。她知道沒有人會准許一個跛孩子去這樣遠的地方。

初時，蕭兒走得很慢，一路上不停向前行，對蕭兒來說實在不容易。她以前從未離開過這村莊，所以走了一會，蕭兒真是想返回村裏去。可是，她責備自己說：「蕭兒，你真沒骨氣，一無所長，連自己心想的事也不能辦，你能做甚麼呢?!」於是她只好一直往前走。

當她沿河邊的大道走時，一羣烏鴉飛到附近一棵

樹上,「咕!咕!」叫著。這些聲音聽起來好像在說:「歸去!歸去!」牠們的叫聲很可怕,她真是想掉頭便走,但她曾經對自己說不要退轉。蕭兒停住腳步,狠狠地瞪著烏鴉,三隻烏鴉從樹上飛出來,朝著她飛來。蕭兒提起勇氣說:「你們不過跟村中的烏鴉一樣啊!你嚇不到我的。你們這些老懵懂,吵個不停的烏鴉!」

烏鴉仍然對她叫著,現在的聲音好像說:「繼續!繼續!」蕭兒便繼續前進。

在夕陽照耀下，沿著河邊走，越走越高興。烏鴉在樹上飛來飛去，與她作伴。見到一個挑著木柴的人沿路走來，烏鴉便高聲大叫，警告蕭兒。由於她不想遇到任何人阻止她，所以趕快躲藏起來。

沿著河邊，長著一種紅、黃和藍色的野花，跟她所住的村中所長的一樣。這下午，微風吹拂，花兒迎風搖曳，好像向她揮手。

夕陽西下，樹木拉長了的倒映斜照到路上，小鳥在河邊的樹枝上歌唱。蕭兒感覺餓了。想起媽媽煮好

晚飯，正在叫她來吃飯，卻發現自己不在家。

蕭兒累了，又有點駭怕，她沒想到去瀑布大師的山洞會有這麼遠。又不願媽媽掛心她。弟弟和祖母生病，爸爸又不在家，她已經給媽媽帶來太多煩惱了，她應該留在家中幫忙。她要回去。可是，回頭一望，已到山邊了，隨著河流進入山裡。出乎她意料之外，原來村莊跟這條河相隔很遠！又看見河右岸還有兩個村落。蕭兒不知道世界這樣大，這兒離開村中太遠了，今晚她不能回去，可是還沒有見到瀑布大師。

站立在山邊，蕭兒見夕陽斜照，晚霞在天邊五彩繽紛，連接著大地。這時蕭兒有點著急，想找一個地方留宿一晚。夜幕低垂，風勢越颳越強勁，吹得樹葉婆娑作響。蕭兒沿路加速步伐，一拐一拐向前行。

這時蕭兒已筋疲力竭，便停在一棵大樹下，預備休息。但風繞著樹幹旋捲，吹著蕭兒身上單薄的衣衫，冷得她在地上瑟縮發抖。心中疑慮著：「如果那兒沒有老瀑布大師怎辦呢？」風嘯聲好像在說道：「你的祖母這樣年老，可能老法師已經死了。又可能根本

沒有瀑布大師這個人呢!」風在她的耳邊輕訴說。蕭兒搖頭說:「不會的,那裏一定有瀑布大師。」她拉緊衣服,裹著身體,風再次從樹間吹來,好像細訴著:「你真是一個傻孩子,相信一個這樣的故事!」這時她又聽到淅瀝的雨點灑在地上。心想:「我不能停留在這兒,應該繼續前進。」

天色已晚,蕭兒在泥濘的路上摸索前進。她踢到樹根而跌了一交。山路崎嶇,舉步艱難。這荒蕪的山嶺,人跡罕至。蕭兒步入這深山,聽到河水猛烈地冲

105

激著。水勢洶湧，不再像村中的河水，緩緩地流過。

蕭兒雖然又餓又累，可是急促的水流聲鼓舞著她。她並沒有被水流嚇倒，反而精神為之一振，乃一步一步前進，直達山頂。

初時，在漆黑的夜裏，蕭兒沒法看到面對的是甚麼？走近一點，看見前面原來是一間三角形的茅蓬。房裏供奉著一尊白衣觀世音菩薩像，在月光映照下，聖像散發出柔光。蕭兒如釋重負，歡欣得叫了出來：

「觀世音菩薩，您一定要幫助我啊！」這時她又倦又

冷，走進屋子裏。

蕭兒剛踏進屋不久，即下傾盆大雨。疲乏的蕭兒，縮成一團，在觀世音腳下睡著了。

半夜，雨停了。天剛發白，蕭兒便醒來，躺在小屋中，看著鳥兒從樹梢飛到一棵矮樹，再飛到祠堂前一塊灰色的圓石上，開始唱黎明之歌。鳥兒都隨著唱和起來。晨光曦微，照射山頂，直照到觀音龕中，給又冷又弱的蕭兒帶來了一分溫暖。

蕭兒顫抖著，待小鳥歌唱完畢，便從龕中爬出來

寶咒註云
菩提夜菩
提夜菩
現菩相化
利善道衆
生

此是觀世音菩薩結衆生緣

，站在慈悲的觀世音菩薩前頂禮。

蕭兒繼續她的行程，向瀑布進發，找老法師去。

她腹似雷鳴，又沒有東西可吃，經昨天一日長途的旅程，她的腿又疼又痛。她加快腳步。昨晚在黑暗中摔倒時，兩腳和膝蓋也瘀傷了，但她毫不在乎，雄心勃勃地向前。向下張望，看見山路通達到一個小山谷。

在山谷前，一道銀白色的瀑布，在晨光照耀下閃爍著。

蕭跛兒慢步走到瀑布旁山洞前，看見一位老人端然正坐。突然間，她想起兩手空空一點東西也沒有帶

109

來，有甚麼可以供養這位尊者呢？沒有！他會幫忙嗎？他能夠幫忙嗎？心慌意亂，又想跑回小村，越過山嶺，穿過樹林，沿著河邊回到她的村去。噢！如果她能跑，她能跑多遠呢！她從未跟陌生人交談過。可是蕭兒不能跑，心想：「從這樣遠來到，經過叢林又睡在野外，我不能退縮，弟弟和祖母需要我幫助。」

蕭兒逐步慢慢向前行，到老人跟前，心想：「我應該頂禮。」蕭兒向老法師三拜，然後坐下恭敬地等待。老法師端然靜坐。蕭兒等待時，看見一隻蝴蝶，

110

翅膀上間錯黃色和黑色的花紋，從石頭上飛起，飛到一叢白色的花中。她發覺這裏的花和樹，跟村中的不同。

等了好一會，老人仍然坐著。蕭兒想：「難道他不喜歡別人探訪？我應該離去嗎？」再望一望老人，他仍然默坐。蕭兒知道他已允許她逗留，便安靜地坐著等待。

一陣和暖的微風從谷中吹來，帶來芬芳馥郁的香味，吹捲起老法師的長袍，和吹拂著蕭兒的鬢髮。附

近瀑布的流水，不停地在石上沖激……。忽然，蕭跛兒看見老人點頭叫她說話，她含羞答答地咳了一聲，說道：「尊者，我是從子仁村來的。家父去為國王修築新路，弟弟和祖母都病倒了，他們發燒，但不能喝水。雖然又倦又弱，但總不能入睡，日夕呻吟叫苦。村中很多人都患病。祖母說您一定有解藥。」

老法師細聽蕭兒講完後，仍靜坐片刻，然後慢慢出定。蕭兒看著他轉過來示意她隨他走。蕭兒屏氣凝神地跟隨老法師進山洞去。他們經過一個外室，進入

後面一個較小的洞中。老法師點起火炬，洞中的牆壁上都掛著枯乾的花、葉、樹皮和樹根。有些蕭兒認識，也有些不認識。

老法師執著火把從牆上而下的照著每一叢乾草藥。終於他停在一小堆前，小心翼翼從牆上把它取下，他指著莖尖上的小花，然後指向蔚藍的天空，蕭兒心想：「這裏有藍色的花朵。」他又指示她那些分枝如何相間地從主枝兩邊長出。蕭兒心想：「對啊！有

114

些植物是這樣,但有些卻不同。」法師又用他那又老又皺的手示意那些矮樹的高度。然後轉過身來向洞裏走,把草藥又掛回牆上。

蕭兒從老遠到來找老法師,急得淚水盈眶,他一定要送些給她吧!他不會叫她空手回去吧!她鼓起勇氣,眨一眨眼睛,忍耐地等著,看看老瀑布大師下一步將做甚麼?

老法師拿起飯鍋,從布袋中取了一把米,轉身向蕭兒示意叫她去取柴枝。蕭跛兒立刻去取柴枝。飯很

快煮好，老法師煮了一些蕭兒從未見過的野菜，她也管不了，餓得胃也痛，雖然只一天沒吃飯，卻好像很多天沒有吃飯似的。他們在和煦的晨光下一同用膳，蕭兒心想從沒吃過一頓這樣有滋味的飯。

用膳後，老法師指著蕭兒來時所走那條路，然後隨順著向右彎，蕭兒想：「他要我去一個地方，但去那裏呢？我怎樣找到那地方呢？」他指一指草藥室，又指一指她來的路徑，然後彎向右邊。

蕭兒想：「要我去找那種植物，怎樣辦得到？」

116

這問題剛生出,她即想到:「啊!一定可以。這麼遙遠的地方我也來了,我已做到從來沒有做過的事情,又可去到從來沒有到過的地方。有他幫助,我可以找到那些植物,一定能採集我需要的草藥。」

蕭兒向老法師頂禮道別,然後踏上歸途。她忽然記起一條小徑,泥土上印著動物足跡,而那小徑是向右彎的。那天早上,在走去瀑布途中,她曾經過這小徑,現在她就試試走這路。小徑通到另一個山邊,長著參天大樹。蒼巖片石間佈滿了一片翠綠的芳草。

蕭兒慢步走，細察路上所有的樹木，希望能找到一種長有藍色花的矮樹。初時，她只留意靠近路邊的草木，往山上走，仍找不到。她越看越遠，在一塊長滿芳香的藍色和黃色野花的平原中搜索，總找不到長有藍色花朵的矮樹。沿著濕滑的溪畔找尋，看見樹叢懸著纍纍的白花和鮮豔的橙色和黑色的花朵。她又爬過倒臥在地上的樹木，從荊棘叢中擠出，但仍不見長有藍色花的矮樹的影踪。綠蔭夾道，樹葉婆娑，遮蓋著日光。林中一片蔭暗，樹下沒有花朵生長。蕭兒看

見樹林外那坦蕩的高原，在那兒陽光普照。於是她步出樹林，朝著那廣闊的高原走。高原氣勢磅礡，延綿數里，三面長滿樹木、一面則是險峻的懸崖。昨天的她返回村中，蕭兒置身其上，但覺身在世界的邊緣。今日的她，就不會了。巖石上很溫暖，石縫間草木叢生。巖石中間有大裂縫，有一蜥蜴在縫中作日光浴，但蕭兒沒有看見牠，卻看到一株矮樹。藍花從石縫長出，她急切地拐過去，頓時心跳加速——啊！這是甚麼？坐在矮樹旁小心查看——藍色

花，小葉子，分支相間地生長。對了！一模一樣！摘了幾枝放進老法師給她的袋中，然後小心向高原四周張望，附近也有類似的矮樹。以後她可知道到那裏來搜集。

蕭兒滿心歡喜再返回瀑布老人洞去。洞中火炬仍點著，老法師安詳端坐。見她歸來，審查她遞上的樹枝，點點頭確定蕭兒已找到了。於是拿起一枝長有花葉的小枝，放下沸水中。蕭兒坐著凝視，心中急著回家，但她知道老法師仍要她留下。蕭兒便耐心地坐著

等待、觀察、學習。到返家後她便懂得怎樣煮茶給弟弟和祖母吃。蕭兒看看大袋，她還可以煮茶給全村呢！故此默默地坐著等茶煮滾。

短短一會兒，恍如隔世。老法師把茶鍋從火上移到一塊平石上，待它冷卻，然後從洞中取出兩個碗，他小心的把一小許藥茶倒到每一個碗中，然後示意叫蕭兒喝一碗。

蕭兒跟著老法師那樣，用雙手提起碗，慢慢捧著碗，前後移動，蒸氣昇起，吸入濃郁的藥氣，充滿肺

121

腑。她心想:「我沒有生病,可是我覺得很好。」

當藥涼了,大師教她沾濕兩唇,然後慢慢一口一口地喝。蕭兒謹慎地牢記每一步細節。

此時太陽又再高懸頭頂。老法師放下了空碗,和顏悅色地凝視著蕭兒好一會兒,便點頭叫她離去。蕭兒起立頂禮後,提起她那寶貴的大袋,開始踏上歸程。

未下山前,先停在觀世音龕前叩謝。忽然蕭兒才想起她的拐杖:「真好!我雙腳可以走路了。希望瀑布大師用我的拐杖做柴吧!」她笑嘻嘻地下山,穿過

叢林,沿著河邊的路徑上走。

＊　＊　＊

「有人來!有人來!」孩童們叫喊,響徹全村。

「沿著河邊來。」

「那裏?」

「那裏?」

蕭大嫂從屋子走出來問道:「從那面來?」

孩子們向外張望,喊著:「從那面來?」

有喊聲叫喊:「從山中來,從山中來,從山中來!」

其他的娘兒們都跑來了。人人都知道，蕭兒爲了祖母和弟弟發燒去找瀑布大師求藥這回事，卻沒有一個相信這是事實。人所共知，只有男人才能到深山去，沒有女孩子能獨自到深山野嶺，蕭兒也當然不可一個人去。她的媽媽說：「她跑了。又懶惰又怕生病。」有人說：「她一定是掉進河裏去了。」雖然多年來沒有土匪出現，卻有些孩子說：「土匪把她帶走了。」

「但是現在有人來，眞是蕭跛兒嗎？孩子們都湧出村外，所有孩子們都朝向來人那兒跑。

蕭兒的媽媽沒有去,她要照顧家中兩個病人,只有等著瞧那人到底是否蕭兒。可能蕭兒真是愚昧到往深山去,她一定不知道有多遠啊!傻孩子,她跑掉真是糟透了,留下媽媽一個人在家照料兩個病人,沒有人幫忙打水、拾柴枝,餵雞和剪草。可是,假若她立志上山而又半途而廢,那更可恥!有這樣的女兒實在丟臉。所以蕭大嫂沒去見她。

「真是蕭兒呀!真是蕭兒呀!」這聲音響徹全村。

「蕭兒去找到瀑布大師啊!」

「蕭兒取了藥!」

蕭兒的媽媽打開門,村中的街上站著很多小童和娘兒,中間走的正是蕭兒,手提著一個小袋。

蕭兒的媽媽叫道:「蕭兒,你的拐杖呢?沒有拐杖你會摔倒的。」

「我不需要拐杖了。媽媽,我雖然行得慢,但我兩條腿可以走路了。我去了瀑布大師的洞裡。這個袋中的草藥可以治病喔!」

「快給我,蕭兒,待我來泡。」

蕭兒說：「不，媽媽。大師教了我怎樣泡，怎樣喝。我示範給大家看。」

有人說：「小孩子，懂得甚麼！別嚕嗦，把袋給我。」

「等一等，蕭大嫂，我們都認識蕭兒，但今日的蕭兒變了，她不再是蕭跛兒，而是蕭健兒。你看她走得多好，就讓她示範給我們看，瀑布大師怎泡茶吧！」

蕭大嫂停住了。她難以相信面前站著這個女孩就是蕭兒，現在截然不同了。她心中知道，蕭兒變了，

真是難以置信。可能其他的人說得對,她不再是年幼無知的蕭跛兒了,而是蕭健兒。蕭大娘隨即點頭同意。這時她悲喜交集,眼淚不禁掉下來了!

人怎樣來到地球？

這個行星在原始時代，原本沒有生物。後來，有些天人從光音天來到地球。當時沒有太陽、月亮或星星。又沒有晝夜，更沒有歲月，和春、夏、秋、冬四季之分。

光音天的天人身體發光，而且能飛行自在。他們發現地球後，就常來回往返於地球和光音天。那時的天人不需要吃飯，他們生活方式與你我所習慣的不同，他們以禪悅爲食，法喜充滿。

隨着時光消逝，這些天人漸漸演變爲人類的祖先。

天神開始要吃東西

這些天人來到地球時，看見一種「甘泉」，所謂「泉湧露降」，在大地上凝結如脂。一些好奇的天人看見「甘泉」，便隨手一抾，放到嘴裏，發覺又甜又滑，真教人欲罷不能。同伴們見了，也要嚐一嚐，覺得非常可口。天人都貪吃「甘泉」，於是越吃越多。

本來天人進食方式與我們不同，所以體態輕盈，經常發散清淨之光輝。可是自從啖食「甘泉」後，身體開始長出肌肉，逐漸變得笨重而不能飛翔，只可在地球上行走。並且他們的身體不再散發清淨之光。因

為身體停止發光，於是便有太陽、月亮、星星在空中出現。一旦有太陽出現；地球依地軸自轉，產生晝和夜。而月亮繞著地球轉動，每循環一周即成一個月。地球繞著太陽運行，每運行一周稱為一年。

天神越吃得多「甘泉」，便變得越醜陋，吃得較少的天神，仍維持著美麗。自從相貌有俊俏與醜陋之分，容貌姣美的人則瞧不起難看的人，而樣子醜陋的人又妒忌相貌美好的人。

他們有彼此人我之分後，初生口角，繼而動武，

從此，原本的「甘泉」便消失了。隨著出現一些味道比「甘泉」較遜色的「地肥」。貪吃「地肥」的人，就長得醜陋。吃得較少的人，卻貌似天仙。他們互相妒忌障礙，終至戰爭爆發，於是第一種「地肥」又消失了。繼而出現另一種味道較差的「地肥」，也是同樣的情形：貪吃的人，越吃得多則越變得醜陋；吃得較少的人，則能保持美貌。醜陋的人對美麗的人生妒忌，而相貌端好的人又輕視貌醜的人，因此引起糾紛。這時第二種「地肥」又消失了。

第二種「地肥」消失後,地上便長出自然粳米——一種沒有糠殼,質地肥美的穀類,而且不用調煮,隨時可以採摘而食。

那時候,人人都是一樣,沒有男女之分。自從開始吃這種五穀後,就有兩種性別出現。情感重者成為女人,情感較輕者成為男人。這些男女互相傾慕,產生感情和愛慾,喜歡共同生活。那些沒有吃「地肥」和五穀的天人,相貌莊嚴。他們責備這些男女說:「你們現在的所作所為是大錯特錯!」男人頓生羞愧,

便伏地不起。女人就帶食物給他吃，扶他起來。從此男人叫那些送食物給他們的女人做——「妻子」，於是世間就有「丈夫」和「妻子」的名稱。他們的行為被大家所遣責，令他們離開。

這些男女移到他方生活了三個月後，再次歸來舊地。在他們歸來時，其他的天人也做同樣的事了。從此以後，沒有人感覺夫妻關係是不對的。

天人剛來地球，不是住在屋裏，但當他們有了男女婚配後，感覺羞恥，所以建造房子。從此以後，這

世界上的人類開始建房子遮身。未吃穀以前，他們是化身而生。自從產生男女性別之後，婦女懷孕生孩子，從此世間就有「胎生」的人類。

一個懶惰的主意

原本一切男女，每當他們肚子餓時，就外出採集自然粳米，就地而食。後來，有些懶惰的人這樣想：如果一次採集兩日份，便不需要每次都出外取食。不久，有人來對這些懶惰的人說：「現在我們一起去採集粳米吧！」

懶惰的人回答說:「啊!我昨天已取了,今天還夠吃,我不用外出了。」

其他的人附和著說:「好主意!這樣做不錯。」

於是他們開始搜集多過一餐所需的食物。每次所取,可供二、三天的食物。後來,一次便取足可以供應五天的食物。

從前人們把穀採摘,稻便自然再長出來,不須耕種。但你猜自從他們打了那個懶惰的思想後怎麼了?他們一次中採集太多了,隨後稻也不再長出來,這種

自然粳米從此不見影踪了。

代之而長的是一種有殼的穀，要先經打穀、篩穀等過程，再經煮熟才可進食。這種穀生長得不及以前那種穀那樣快，人們為了繁殖穀類，把土地劃分，用地圖劃分界限。「這部份是我的，而那部份是你的。」於是世間便開始有「田地」之名。

你猜一猜，自從人們對這些東西有彼此之分後怎樣？當一個人的田隴中生產不足，他便到別人的田去偷摘。被盜的人，追打偷禾的人，於是打鬪事件爆

發。人與人之間常常有爭執。他們決定找裁判人，來主持公道，爲他們評是非。他們挑選一個相貌端正而有德行的人，爲他們調解糾紛，並且供應食物給他作報酬。這個人便叫做「國王」。

初時所有國王都是轉輪王，有德行，能持五戒，行十善，仁愛待人。但後來有些國王漸漸變得昏庸無能，不能造福人羣。而世人的生活，也一日不如一日。

人壽減短

本來人的壽命很長，平均壽命爲八萬四千歲。可

是自從人類開始偷盜和傷害他人，壽命就減至平均四萬歲。大約這時，他們變爲血肉之軀而長住在地上。這些人繼續做傷天害理的事，人的壽命又減至二萬歲。他們越來越貪婪，霸佔他人財物據爲己有，常常貪更多的食糧，故人壽又減短至一萬歲。

他們雖然偷盜和傷害他人，但還沒有撒謊的習氣。有一天，一個賊人被捕後送到國王面前，國王問他：「那東西是你從那兒偷來嗎？」

賊人想道：「如果我說的確是我偷的，一定會被

罰，不如說我沒有做吧！」由此就開始有謊言了。自從賊人們說：「不！我沒有偷盜。」人類的壽命又減至一千歲。

人們開始用身口意做三惡業，繼而產生「兩舌」，即是在人面前說一套，在人背後又說另一套話。又用「惡口」，即刻薄的言辭，吆喝他人。從此搬弄是非，常生口角，自從這身口意三惡業出現，人壽便減至五百歲。人們開始做些不清淨的行為，邪見紛紜，更不能明辨是非了。

釋迦牟尼佛降世

大約三千年前,在人們平均壽命為一百歲時,釋迦牟尼佛出現於這個世界。自從佛陀出現於世,他以正法教導人們「諸惡莫作,眾善奉行」,度脫了許多人。之後,人們的壽命仍是漸減,至今的平均壽命為七十歲。

將來的發展

佛法終有一天會離開這世界。人們的行為,每況愈下,而人壽,也越來越短。每一百年他們的壽命便

減少一歲,如此類推,到人壽只有十歲,那時候女孩子五個月大已可結婚生子。到人壽十歲時,人的身高也越變越矮,每一百年減低一寸。他們將會變得暴戾野蠻,禽獸不如。那時世界一切正氣盪然無存,烏煙瘴氣,也即是世界末日快要來臨。

地球變得醜陋

那時候,在世界上找不到一點美好的事物,也沒有滋味的食物可吃。人們把一切穀類都用光了,所以

穀類也絕跡。那時候如果有人找到一粒穀，他們也會把它收藏起來，猶如現在我們珍藏珠寶一樣。

在地球上因為殺生太多，而致血肉橫飛。人們沒有可食的東西，唯有煎煮地上的朽骨來維持生命。既沒有造衣服的布料，人們將會用人的頭髮去織布造衣服，這還算是最上等的衣料呢！莊嚴身體再不是珠玉寶石，而是刀槍器仗。土地貧瘠，很多沙礫石塊，所以不能生產莊稼。而蚊子、黃蜂和毒蛇，又聯羣來侵擾人們。

一切金、銀、瑪瑙及其他珠寶不復存在,沒有人再能聽到十善業。(不殺生,不偷盜,不邪淫,不貪,不瞋,不癡,不兩舌,不惡口,不綺語,不妄言)。沒有人孝順父母或尊敬師長。這時人們只做惡事,內心充滿憤怒,常常互相殘殺,造成互相恐懼瞋恨的局面。

七日大戰

一場慘酷的戰爭終於爆發,因為人們的惡業所感,故一致互相誅戮。打仗時也不需要武器,他們只拿

一根草來作武器，已可用來互相殘殺。

但有些人對這塲浩劫很害怕，不希望參加戰爭，便跑到深山去躲起來。有些人則退居孤島或隱匿山洞中。這些人彼此見到，便說：「我不殺你，你也不要殺我。」

七日後他們下山，發現七日戰爭已結束，一切沒有上山的人們都被毀滅，整個世界劫後餘生，只剩下一萬人。從山上歸來的人看見這慘局，便悲哀地痛哭了七天，然後為自己尚能生存於世上，又慶祝了七天。

人們發真心

這時,人們將會痛下決心:「從今後我們要做一切善事,利益他人。不再做任何恐怖的事情而引致人類互相殘殺。我們不要再殺害他人!」

自從他們發誓不互相殺戮,壽命便從十歲增到二十歲。

他們心想:「如果我偷竊別人的東西,別人也會偷我的東西。長此以往,人人不安全。自今以後我不再偷盜了。」他們一旦停止偷盜,人壽便增加到四十歲。

於是他們心又想：「我們應該視一切男女如自己的父母，一切少男少女如同兄弟姊妹，要尊重他人，也要自尊自重，不再做不清淨的行為」。他們停止與別人作不淨行，壽命將會增加到八十歲。

不久他們明白不應互相欺騙。自從他們停止撒謊，壽命將增加到一百六十歲。

他們的心腸漸趨良善，希望人人和平共處，於是發誓不再用兩舌。隨即壽命便增加至三百二十歲。

他們不復用惡口，不再說惡毒的話，轉而用慈悲

仁愛語，壽命便增添至六百四十歲。

他們不再搬弄是非時，壽命將增至二千歲。他們不再咎齒了，壽命增加至五千歲。人們改邪歸正，去除邪見障礙，壽命將增加到一萬歲。而生正見，壽命將增至二萬歲。到他們到四萬歲時，決心孝順父母。一旦能孝順，壽命倍增至八萬歲。

這時女子到五百歲乃可結婚生子，人的童年長達五百年，人人都身體健康。只有九種病痛尚留存於世。

九種病：

（一）人們會感覺冷。（二）人們會感覺熱。（三）人們會感覺饑餓。（四）人們會感覺口渴。（五）人們會有小便。（六）人們會有大便。（七）人們會有慾望。（八）人們會食過量。（九）人們仍然會衰老。

彌勒佛降世

除了那九種問題外，再沒有其他的困難了。世界將會十分美麗，珍寶盈滿。一切蚊、蠅和有毒的生物都銷聲匿跡。人人飲食充沛，壽命最長增為八萬四千

歲。然後又復遞減。當人類壽命減至八萬歲時，他們仍可享受殊勝的福報——生於美好的世界，華衣美食，人人融洽共處。這時彌勒菩薩將繼釋迦牟尼佛降世，出現於這個娑婆世界，教化眾生，成為賢劫第五尊佛。

宣化上人於一九八三年八月講於萬佛城萬佛殿

敦品立德

小朋友！你們想盡救世救人的責任嗎？那麼，首先要敦品立德。何謂「敦品」？敦是敦厚。品是品格。要敦厚良好的品格，就是要學識豐富，品格高尚。既不吸煙，不飲酒，不吸毒，更不賭錢。完全沒有不良嗜好。不要學那些無知識的人，對國家不負責任，對社會不盡義務，不守規矩，成為害群之馬，或為人間之阿修羅，只知鬥爭，不知和平。這種惡人，成為

國家的大包袱。

你們現在正是欣欣向榮的小樹,要時時將不正當的樹椏砍去,令其向上發展,將來長成為大樹,堪為大器。所謂「十年樹木,百年樹人。」你們現在是學習的時期,不要染成種種不良習氣。切記!把自己的人格,培養清高;把自己的品行,養成廉潔。若能這樣,將來可做世界人類的領袖。

何謂「立德」?立是建立。德是德行。建立好的德行,首先要孝順父母,所謂「百善孝為先」。不孝

順父母的人，就是天天拜佛，也沒有用處。關於這一點，小朋友，要特別注意！

建立堅固的基礎

宣化上人講於一九八三年八月,萬佛聖城萬佛殿

萬佛聖城教育的宗旨,先把人格的基礎打好,令小學生、中學生、大學生,人人皆知禮義廉恥,忠孝和平的道理。換言之,注重精神教育。教學生把做人的基礎穩定,將來到社會上做事,皆本著道德思想,堪做人的標準,做人的榜樣。如此,慢慢的薰染大眾,將社會上不良的風氣糾正過來,移風易俗,成為夜不閉戶,路不拾遺的境界。

這個世界為甚麼不好?因為沒有把做人的基礎打好。所以人被財色名食睡五欲之風,吹得東倒西歪,迷迷糊糊。只知尋求五欲的快樂,不知孝悌忠信為何物,不重視仁義禮智信。所以把世界弄得烏煙瘴氣,不成體統。

萬佛聖城的教育,教人打好地基,將來可建摩天大樓。我就是打地基的大錘,把小朋友的基礎打得堅堅實實,將來做為世界的良材,這是我的目的。小朋友!不要把自己看輕,你們是國家未來的主人翁。你

們在課堂中,除了靜心聽老師講解之外,還要訓練演講,有了經驗,養成無所畏的心理,將來成為出類拔萃的弘法人材,辯才無礙。

各位老師!你們多辛苦點,將這羣有為的青年,訓練成有智慧,有幹勁,見義勇為,奉公守法,優秀的公民。要知道幫助世界平安,先要從教育著手。教育貞英,把道德基礎打好,國家定能富強,世界定能和平。現在就因為很多國家的教育水準陷入低潮,斯文掃地,道德淪亡,所以造出很多不守規矩的青年,

飽食終日,無所是事,徘徊街頭,成為浪子。

我敢說凡是在萬佛城受教育的學生,無論是大學生、中學生、小學生,個個都是守規矩的學生。知道怎樣做人,知道怎樣立德。希望你們依此為方針,努力學習,成為社會國家的棟樑!

八德

一九八三年十月十二日

小朋友！你們知道甚麼是做人的根本嗎？就是八德：孝、悌、忠、信、禮、義、廉、恥。我今天將八德的意義簡單的解釋，你們要注意來聽！

（一）孝：就是孝順。孝順父母。這是為人子女的本分。孝順是報父母養育之恩。

（二）悌：就是悌敬，悌敬兄長。這是作弟弟的本分。悌敬是報兄長的恩。

（三）忠：就是盡忠。盡忠國家。這是作國民的責任。盡忠是報國家的恩。

（四）信：就是信用，信用朋友。對朋友言而有信，行必篤敬，不可失信用。

（五）禮：就是禮節。見到人要有禮貌，應該鞠躬，不行禮就是野蠻的行為。小朋友！見到師長要敬禮，見到父母要敬禮。

（六）義：就是義氣。要有見義勇為的精神，無論誰有困難，要盡力去幫助，解決問題。對朋友要有道義，無

條件來援助,絕無企圖的心。

(七)廉:就是廉潔。有廉潔的人,無論見到甚麼?不起貪求之心,沒有想佔便宜的心,而養成大公無私的精神。

(八)恥:就是羞恥。凡是不合道理的事,違背良心的事情,絕對不做。人若無恥,等於禽獸一樣。

這八個字是做人的基礎,不要把它忘記。將來到社會服務時,「言必忠信,行必篤敬」。說出的話,一定要有忠有信,不打妄語。所做的事,必須要有恭

恭敬敬的態度，認真去做，絕對不敷衍了事。

你們要以拯救世人為己任，要做大事。不要想作大官，賺大錢。那是為自己享受，對世界人類卻沒有貢獻。要想將來怎樣利益社會？怎樣利益國家？怎樣利益全人類？要有這樣的抱負，才算大丈夫、大英雄、大豪傑。

不要想做醫生，雖然能賺很多錢，可是本來沒有病的人，你給他打一針，他就送錢來。這會錯因果的，將來要墮地獄。不要想做律師，雖然能賺很多錢，

可是為了賺錢，將有罪的人辯護無罪，藐視法律如兒戲，令受害者無處申冤。不要想作科學家，雖然能賺很多錢，可是發明殺人的武器，令成千成萬的死亡。錢是害人的東西，能令人互相殘殺，親人變成路人。兄弟為爭家產，變成仇人。甚至為錢作怪，以至兒子殺死父親。最近洛杉磯就發生這種事件，兒子殺父親的新聞。

在洛杉磯有個大富翁，名叫吉爾。他有六千萬美金的財產，大概來路不大光明。他有兩個兒子，是不

良少年。因為貪錢,把親愛的爸爸謀殺。你們看!錢是好東西嗎?

你們應該看錢如糞土,不要對錢著迷。要安分守己,盡己所能,為人類造幸福。所謂「犧牲小我而成大我」。這是偉大的志願,大家共勉之。

宣化上人講於美國加州洛杉磯金輪寺、一九八三年十一月

如何做一個有為的青年人？

各位同學！今天與你們見面，我心裡很高興。你們都是有為的青年人。可是，有為的學生要做有為的事，假若頹靡不振，不能尊師重道，敦品立德，發奮讀書，那麼，就算有為也變成無為了！反過來說，大家若能尊師重道，力求上進，則前途無可限量。來日可作每個國家的領袖，全世界的主人翁，每個家庭的

好榜樣。

　　你們想成為國家的領袖、世界的主人翁、家庭的好榜樣嗎？現在教你們一個好辦法。第一、在家必要孝順父母。父母叫你，你要趕快答應，不可慢條斯里。父母叫你做事，你不可存不滿意，苟且懶惰。父母教訓你，叫你好好讀書，你就應該先把功課做好，才出去玩耍。不要蹦蹦跳跳，終日只看電視而忽略功課。你有甚麼不對？父母懲罰你，你也應該順從接受。身為人子女，身為學生，這種行為最低限度能做到。

做人的基礎,是在每個家庭裡建立起來的。

第二、要將以上孝順父母之精神,轉到學校裡來,恭敬老師。不要面從心違、陽奉陰違。考試時更不可作弊來欺騙老師。要做忠實的學生,長大後忠於國家。切不可生輕慢師長的心!老師們費盡心血來栽培你們這些小苗,令你們茁莊長大,本固枝榮,前途無量。切不可鬥爭老師、欺負師長。現在社會的風氣壞到極點。甚至有些小學、中學及大學生,鬥爭老師。這種狂妄之行為,欺師滅祖,不如禽獸。你們既然到

169

了金輪寺，在這兒念書，必定是有大善根，才得到這麼好的老師來教導你們。你們要珍惜這個機會，不要浪費寶貴光陰。

切記！將來的目標，是要幫助社會，不是為自己發財做大官。首先要把道德的基礎打好。古時的人讀書為了「明理」，現在的人讀書多為「名利」。明理、就是研究如何治理國家，如何影響世界，移風易俗，做一些真實而有價值的事業。不是只顧自己生活能有多少享受？或想：「我將來做個醫生，賺多多的錢

！」這種爲名爲利的思想太狹窄，太沒出息！你若把道德基礎打好了，名利是小問題。將來堪爲世界的主人翁，能做一番偉大的事業。現在是你們的黃金時代，不要錯過，否則將來後悔莫及。我這一番話是苦口婆心對你們說，所謂「忠言逆耳利於行，苦口良藥利於病」，不管你愛不愛聽，我是盡了我一番心意！

宣化上人講於美國加州洛杉磯金輪寺、一九八三年十一月

不幸之中的幸運人

我們生長在一個不幸的時代。世間上的誘惑力太厲害，令人紙醉金迷，利令智昏。日新月異的科學發明，令人把「根本」都忘了。在這個不幸的時代中，若能認識環境而不隨波逐流，不同流合污，就能改變你的命運，做一個幸運的人。我們人的根本是甚麼呢？孔子說：「君子務本，本立而道生。孝悌者，其為

仁之本歟。」人之根本就是「孝悌」兩個字。在西方，人人都忘本了，根本就不知甚麼是孝悌。這像把樹木的根刨出來一樣。樹沒有根，或者露到泥土上，這樹就會倒塌。人不懂孝義，也等於樹木沒紮下根一樣，如何成一個有用的人?!

君子要務本。在家要孝順父母，悌敬兄長。要幫助家裡的操作，不可好吃懶做。若能找到根本，那麼，就在這個世運不安、不幸的時代裡，能做一個卓然獨立、出類拔萃的幸運人。小朋友！你們應該做「疾

風中之勁燭,烈火裡的精金。」風愈大,這柱蠟燭愈燒得光亮。人人顛倒發狂,而你不受物欲所誘惑,不同流合污,這就像疾風中之勁燭。真金是不怕火煉。你如何燒它?其份量不減,因為這個金是純真的。你們要像真金,任何烈火也燒不壞。

行住坐臥有威儀

小朋友！你們應該像蓮花。蓮花又美、又香潔，人見人愛。它是出於淤泥而不染，沒有塵埃，沒有俗氣，所以殊貴。在這個人人瘋狂，人人顛倒的時代，你若能找到根本而不去同流合污，也就像蓮花那麼高貴。你們將來都有機會成為社會國家的棟樑，但先要把枝椏剪去，即是將不良的習氣毛病盡除，才成為棟樑之材。若不雕琢自己，就和一般俗人無分別，這個世界也不會進步。欲想改良這個世界，移風易俗，必

要在年輕時代就立下宗旨,並且,還要有陪襯,來幫助你向前發展。

甚麼陪襯呢?就是行住坐臥,四大威儀,都有一定的法則,不可雜亂無章。好像很多學生,行路的時候不是走路,他是在蹦蹦跳跳,東張西望,像猴子一樣,這就完全沒有威儀啦!所謂「……行如風,坐如鐘,臥如弓,立如松」。行路時有如「輕風徐來,水波不興。」這個風是輕風,不是強烈的暴風,龍捲風,能起屋拔樹,大家要注意!

「坐如鐘」:人坐的時候,要像大鐘那麼穩固,

但不要像鐘擺，搖來搖去。要坐得很正整，尤其是女孩子，不要把腳挽來挽去。

「臥如弓」：躺著的時候像一把弓，也有一定的姿態。「立如松」：站著如一棵大松樹，又高又直，卓然獨立，不是像蛇那樣子，彎彎曲曲。

四大威儀是日常生活上必注意的儀態。就在學生時代，應該把這些基本學會了。凡事擇善而從，不善而改；是道則進，非道則退。我對你們所說的話，是破釜沉舟，至誠懇切。希望你們好自爲之，否則，莫如行屍走肉，酒囊飯袋，對這個世界毫無貢獻！

讀書簡單的秘訣

小朋友！你們坐在那兒，手又動腳又搖頭又扰，要把頭搬到腳那裡去，又要把腿搬到頭上，這就是顛倒。有這種種不正當的動作，心裡就昏亂，讀甚麼書也記不下。應該端然正坐，頭腦冷靜，對老師所講的任何課，特別留神，這樣才能吸收知識。

讀書有很簡單的方法，就是三上、三到。「三上」：路上、枕上、厠上。在路上走，一邊在想：今天老師教我甚麼課呢？那個字怎樣寫？那句話甚麼意義

？在路上走時要不停地思惟剛學習了的功課。回到家裡，每晚躺到牀上尚未睡著之前，應把當天所學的課重新默念一遍。這時候你的腦海裡沒有那麼多雜念，應該很容易記得。在廁上，也不要浪費時間打妄想，還是在心裡研究課本。「三到」：眼到、口到、心到。用眼看書，用口讀誦，用心思惟研究。這三到缺一不可。要用冷靜的頭腦來分析所學到的道理，才不至辜負老師們的心血和時間。記住！你們勤力讀書，長大後要利益社會，造福人類的！

學校是神聖的處所

一九八三年九月十八日

學校是教育良才的聖地,好像大冶洪鑪,鍛鍊鋼鐵。經過千錘百煉之後,能使學生成為金剛不壞身。將來成為棟樑之材。為國家服務。老師以教育天下英才為快樂,這是神聖不可侵犯的工作。所以要負起責任,認真教學。

現在所有的學校,都變質了。無論大學、中學、小學,大多數的學生,都有吸毒的記錄。因為兒童都

有好奇心,先學吸毒,然後學偷東西。偷來的東西去換錢,再買毒品。都學會打妄語,都學會欺騙人。你們目覩這種情形,身為這個國家的公民,再不痛心疾首,真是沒有心肝了。

你們到外邊學校去看一看,敢說沒有一個學校的學生不吸毒、不販毒嗎?甚至喪心病狂的老師,知而不管,任其發展。更有些教授,提倡吸毒、淫蕩之行,把學校變成販毒吸毒的交易所,多麼危險呀!

最令人痛心的事,學校成為男女談情說愛的場所

，變成不淨行的地方。父母鼓勵女兒服避孕藥丸，這是古今奇聞。學校不聞不問，只知收學費。教育出來的學生，沒有道德的思想，沒有貞操的觀念，一切講自由。自由！自由！自由到地獄去了。

這種不良的風氣，對於人道上真是百害而無一利。如果教育當局再不設法糾正，後果則不言而知。所以萬佛城的學校，無論大學、中學、小學，都是男女分班上課，從兒童時期，開始訓練男女有別的教育。再提醒當局，趕快設法改善學校這股歪風氣。所謂「亡羊補牢，猶未晚矣」。

All of the translation works by the Buddhist Text Translation Society are accompanied by interlinear commentaries by the Venerable Tripitaka Master Hsüan Hua, and are available in softcover only, unless otherwise noted.

BUDDHIST SUTRAS

Amitabha Sutra - This Sutra, which was spoken by the Buddha without being formally requested as in other Sutras, explains the causes and circumstances for rebirth in the Land of Ultimate Bliss of Amitabha (Limitless Light) Buddha. The commentary includes extensive information on common Buddhist terminology, and stories on many of the Buddha's foremost disciples. ISBN 0-917512-01-4, 204 pgs., $8.00 (Also available in Spanish. $8.00)

Brahma Net Sutra 梵網經講錄 The Buddha explains the Ten Major and Forty-eight Minor Precepts of the Bodhisattva. Bi-lingual edition, English-Zhung Wen.Vol. 1, ISBN 0-917512-79-0, 300 pgs. Vol. 2, ISBN 0-917512-88-X, 210 pgs. Two volume set is $18.00. The commentary to this work is by the late Venerable Master Hui Seng.

Dharani Sutra - This Sutra tells of the past causes and conditions of the Bodhisattva of Great Compassion, Avalokiteshvara (Kuan Yin), and the various ways of practicing the Great Compassion Mantra. It is a fundamental Secret School text. The second half of the publication is divided up into three sections. The first explains the meaning of the mantra line by line. The second has Zhung Wen poems and drawings of division bodies of Kuan Yin Bodhisattva for each of the 84 lines of the mantra. The last section contains drawings and verses in English on each of the 42 Hands and Eyes of Kuan Yin. This is the first English translation of this scripture. ISBN 0-917512-13-8, 352 pgs., $12.00

大悲心陀羅尼經 has all of the material noted above for the DHARANI SUTRA, except the commentary and the section explaining the meaning of the mantra. All the material is in Zhung Wen only. 210 pgs., $6.00.

Dharma Flower (Lotus) Sutra - In this Sutra, which was spoken in the last period of the Buddha's teaching, the Buddha proclaims the ultimate principles of the Dharma which unites all previous teachings into one. When completed, the entire Sutra will be from 15 to 20 volumes. The following are those volumes which have been published to date:

Volume I, Introductory section. Discusses the five periods and eight teachings of the T'ien T'ai School and then analyzes the School's Five Profound Meanings as they relate to the Sutra. The last portion tells of the life of Tripitaka Master Kumarajiva, who translated the Sutra from Sanskrit to Zhung Wen. ISBN 0-917512-16-2, 85 pgs., $3.95

Volume II, Introduction, Chapter One. *Describes the setting for the Sutra, which includes the assembly that gathered to hear it, the Buddha's emission of light, the questioning of Maitreya Bodhisattva, and the response given by Manjushri Bodhisattva.* ISBN 0-917512-22-1, 324 pgs., $7.95

Volume III, Expedient Methods, Chapter Two. *After the Buddha emerges from samadhi he speaks of the vast merit and virtue of the Buddhas. Shariputra beseeches him to expound further on this. After his third request, the Buddha consents, and for the first time proclaims that all beings without exception can become Buddhas.* ISBN 0-917512-26-X, 183 pgs., $7.95

Volume IV, A Parable, Chapter Three. *The Buddha explains the purpose of his teachings by means of an analogy of an Elder who tries to rescue five hundred children who are absorbed in play in a burning house.* ISBN 0-917-512-62-6, 371 pgs., $8.95

Volume V, Belief and Understanding, Chapter Four. *Four of the Buddha's foremost Arhat disciples relate a parable about a prodigal son to express their joy that they too, will become Buddhas.* ISBN 0-917512-64-2, 200 pgs., $6.95

Volume VI, Medicinal Herbs, Chapter Five, & Conferring Predictions, Chapter Six. *The Buddha uses the analogy of a rain-cloud to illustrate how his teaching benefits all beings.* ISBN 0-917-512-65-0, 161 pgs., $6.95

Volume VII, Parable of the Transformation City, Chapter Seven. *The Buddha teaches that the attainment of his Arhat disciples is like a city which he conjured up as an expedient when they became weary of the journey to Buddhahood.* ISBN 0-917-512-93-6, 250 pgs., $7.95

Volume VIII, Five Hundred Disciples Receive Predictions, Chapter Eight, & Bestowing Predictions Upon Those Studying and Beyond Study, Chapter Nine. *More than a thousand disciples receive predictions that they will become Buddhas in the future.* ISBN 0-917-512-71-5, 160 pgs., $6.95

Volume IX, Masters of the Dharma, Chapter Ten & Vision of the Jewelled Stupa, Chapter Eleven. *Chapter Ten explains the vast merit from upholding and propagating the LOTUS SUTRA, and in Chapter Eleven, all the transformation bodies of Shakyamuni Buddha gather so that those in the assembly can see Many Jewels Buddha.* ISBN 0-917-512-85-5, 270 pgs., $9.00

Volume X, Devadatta, Chapter Twelve & Exhortation to Maintain, Chapter Thirteen. *In Chapter Twelve, the Buddha reveals that Devadatta was once his teacher in a former life and then bestows a prediction of Buddhahood on him. The eight year old dragon girl becomes a Buddha. In Chapter Thirteen, the Buddha bestows predictions of Buddhahood on Bhikshunis.* ISBN 0-88139-34-0, 150 pgs., $5.00

Volume XI, Peaceful & Happy Conduct, Chapter Fourteen. *Elucidates the "places of closeness" that a Bodhisattva should draw near to and places he should stay apart from. Discusses the body, mouth, and mind karma of cultivators and the importance of vows.* ISBN 0-88139-022-4.

Universal Door Chapter. Zhung Wen. $5.00
妙法蓮華經觀世音菩薩普門品淺釋
Further Volumes Forthcoming

Flower Adornment (Avatamsaka) Sutra 大方廣佛華嚴經淺釋
Known as the 'King of Kings' of all Buddhist scriptures because of its profundity and great length (81 rolls containing more than 700,000 Zhung Wen characters). It contains the most complete explanation of the Buddha's state and the Bodhisattva's quest for Awakening. When completed, the entire Sutra-text with commentary is estimated to be from 75 to 100 volumes. The following are those volumes which have been published to date:

Verse Preface 華嚴經疏序淺釋 a succinct and eloquent verse commentary by T'ang Dynasty National Master Ch'ing Liang who was the Master of seven emperors. The Preface gives a complete explanation of all the fundamental principles contained in the Sutra. This is the first English translation of this text. Bi-lingual edition, English & Zhung Wen. ISBN 0-917512-28-6, 244 pgs., $7.00

Prologue - a detailed explanation of the principles of the Sutra by National Master Ch'ing Liang, utilizing the Hsien Shou method of analyzing scriptures known as the Ten Doors. The PROLOGUE contains the first Nine Doors. Will be approximately 7 to 10 volumes upon completion. The following volumes have been published to date:

    First Door, The Causes and Conditions for the Arisal of the Teaching of the FLOWER ADORNMENT SUTRA. Complete in one volume. ISBN 0-917512-66-9, 252 pgs., $10.00
    Second Door, The Stores and Teachings in Which It (THE FLOWER ADORNMENT SUTRA) is contained, in three volumes:

    Part One, Complete discussion of Three Stores; beginning of discussion of the Schools in Zhung Kuo. ISBN 0-917512-73-1, 280 pgs., $10.00
    Part Two, More on Zhung Wen Schools. The Indian Schools, and comparisons among them. ISBN 0-917512-98-7, 220 pgs., $10.00
    Part Three, Detailed discussion of the Five Hsien Shou Teachings. The sequence of the Teaching Methods, and the inconceivable state of the Flower Adornment. ISBN 0-88139-009-7, 160 pgs., $8.00

Further Volumes Forthcoming

華嚴經疏淺釋 the entire text and commentary of the Ten Doors in Zhung Wen. Four volume set, $27.00

    Flower Store Adorned Sea of Worlds, Chapter 5, Part 1. Describes the universe we live in, including an explanation of principles pertaining to the coming into being of worlds, the wind wheels that uphold them, their orbits, mutual attraction, and detailed descriptions of the worlds located on the 20 tiers of the lotus that forms the basis of our cosmic structure. ISBN 0-917512-54-5, 250 pgs. $8.50

The Names of the Thus Come Ones, Chapter 7. In this chapter, the Bodhisattvas gather from the worlds of the ten directions to request the Buddha to speak about the Great Bodhisattva practices which are explained at great length in later chapters of the FLOWER ADORNMENT SUTRA. This volume also includes Chapter 8, The Four Holy Truths. Each of the Four Holy Truths--Suffering, Accumulation, Extinction, and the Way--are explained according to the conditions of ten different worlds plus the Saha World, the world which we inhabit. ISBN 0-88139-014-3.

Bright Enlightenment, Chapter 9. Shakyamuni Buddha emits light from the soles of his feet which continually gets brighter and shines upon more and different countries in the ten directions. After each time that he emits light, Manjushri Bodhisattva speaks verses praising the virtues of the Buddha. ISBN 0-88139-005-4, 225 pgs., $8.50

Pure Conduct, Chapter 11. This chapter of the Sutra gives a detailed explanation of the pure practices of the Bodhisattva. It is one of the most renowned guides to the Vinaya in the Buddhist Canon. ISBN 0-917512-37-5, 255 pgs., $9.00

Ten Dwellings, Chapter 15. Explains the state of the Ten Dwellings attained by the Bodhisattva. ISBN 0-917512-77-4, 185 pgs., $8.00

Brahma Conduct, Chapter 16. Explains the meanings of the pure Brahma conduct cultivated by the Bodhisattva. ISBN 0-917512-80-4, 65 pgs., $4.00

The Merit and Virtue From First Bringing Forth The Mind, Chapter 17. Uses various analogies to describe the merit obtained by the Bodhisattva when he first resolves his mind on becoming Enlightened. ISBN 0-917512-83-9, 200 pgs., $7.00

The Ten Inexhaustible Treasuries, Chapter 22. Explains the Ten Inexhaustible Treasuries attained by the Bodhisattva, which immediately proceed the Ten Conducts. ISBN 0-917512-38-3, 184 pgs., $7.00

Praises in the Tushita Heaven Palace, Chapter 24. Verses in praise of the Buddha spoken by the great Bodhisattvas after the Buddha had arrived in the Tushita Heaven, prior to Vajra Banner Bodhisattva's explanation of the Ten Transferences. ISBN 0-917512-39-1, 130 pgs., $5.00

Ten Transferences, Chapter 25, Part 1. Detailed prose and verse discussion of these important Bodhisattva stages. Contains the First Transference of Saving and Protecting Living Beings Apart From the Mark of Living Beings, and the Second Transference of Indestructibility which discusses faith. ISBN 0-917512-52-9, 250 pgs., $8.50

Ten Grounds, Chapter 26, Part 1. Contains the First Ground of Happiness, which focuses on the practice of giving. ISBN 0-917512-87-1, 234 pgs., $7.00. Part 2. Covers the Bodhisattva's Second Ground of Leaving Filth, Third Ground of Emitting Light, and the Fourth Ground of Blazing Wisdom. ISBN 0-917512-74-X, 200 pgs., $8.00

Further Volumes Forthcoming

十地品 The Ten Grounds with commentary, in Zhung Wen. Three volume set $17.00

Universal Worthy's Conduct, Chapter 36. Universal Worthy Bodhisattva explains obstructions that arise from anger, gives methods to correct it, and describes the purities, wisdoms, universal entrances and supremely wonderous minds that result. ISBN 0-88139-011-9, 78 pgs., $7.50

Entering the Dharma Realm, Chapter 39. This chapter, which makes up one quarter of the entire Sutra, contains the spiritual journey of the Youth Good Wealth in his search for Ultimate Awakening. In his quest he meets fifty-three 'Good Teachers,' each of whom represents a successive stage on the Bodhisattva Path. The following volumes have been published to date:

Part One. Describes the setting for the youth's quest, and his meeting with Manjushri Bodhisattva. ISBN 0-917512-68-5, 280 pgs., $8.50

Part Two. In this volume, Good Wealth meets his first ten teachers, who represent the positions of the Ten Dwellings. ISBN 0-917512-70-7, 250 pgs., $8.50

Part Three. In this volume, Good Wealth is taught by the ten teachers who correspond to the Ten Conducts. ISBN 0-917512-73-1, 250 pgs., $8.50

Part Four. In this volume, Good Wealth meets the ten teachers who represent the Bodhisattvas of the Ten Transferences. ISBN 0-917512-76-6, 185 pgs., $8.00

Part Five. In this volume, Good Wealth meets the six teachers who represent the first six Grounds. ISBN 0-917512-81-2, 300 pgs., $9.00

Part Six. Good Wealth meets the teachers on the seventh to tenth Grounds. ISBN 0-917512-48-0, 320 pgs., $9.00

Universal Worthy's Conduct and Vows, Chapter 40. A detailed explanation of Universal Worthy Bodhisattva's ten great kinds of practice, considered to be the foremost of all practices. ISBN 0-917512-84-7, 300 pgs., $10.00 (In Zhung Wen, $4.00)

華嚴經 - World Rulers' Adornments, Chapter 1 to the Ten Transferences (parts 1 to 3), Chapter 25. In Zhung Wen only. Includes commentary. Ten Volume set $60.00. Vol. 9 $8.00; Vol. 10 $8.00.

Heart Sutra and Verses Without a Stand - Considered the most popular Sutra in the world today, the text of the HEART SUTRA explains the meaning of Prajna-paramita: the perfection of wisdom, which is able to clearly perceive the emptiness of all phenomena. Each line in the text is accompanied by an eloquent verse by the Venerable Master Hua, and his commentary contains an explanation of most of the fundamental Buddhist concepts. ISBN 0-917512-28-7, 160 pgs., $7.50

心經非台頌解 Same as HEART SUTRA above, including the commentary. In Zhung Wen.120 pgs., $5.00

Shurangama Sutra - This Sutra gives the most detailed explanation of the Buddha's teachings concerning the mind. It includes an analysis of where the mind is located, an explanation of the origin of the cosmos, the specific workings of karma, a description of all the realms of existence, and the fifty kinds of deviant samadhi-concentrations which can delude us in our search for awakening. Also, in this Sutra, twenty-five enlightened Sages explain the methods they used to become enlightened. The entire eight volume set is available at a discounted price of $65.00.

Volume One, The Venerable Ananda presents seven ideas on the location of the mind, and the Buddha shows how each one is incorrect, and then explains the roots of the false and the true. ISBN 0-917512-17-0, 289 pgs., $8.50

Volume Two, The Buddha explains individual and collective karma, and reveals the true mind by displaying ten different aspects of the seeing-nature. ISBN 0-917512-25-1, 212 pgs, $8.50

Volume Three, The Buddha gives a clear description of the qualities of all the sensefields, their respective consciousnesses, and all the internal and external elemental forces of the universe. He explains how all are ultimately unreal, neither existing through causes nor arising spontaneously. ISBN 0-917512-94-4, 240 pgs,$8.50

Volume Four, The Buddha talks about the formation of the world, the coming into being of sentient creatures, and the cycle of karmic retribution. ISBN 0-917512-90-1, 200 pgs, $8.50

Volume Five, Twenty-five Sages explain the method they used to transcend the realm of birth and death. Manjushri Bodhisattva selects the method used by the Bodhisattva Kuan Yin of 'returning the hearing to listen to the self-nature,' as the most appropriate for people in our world-system. ISBN 0-917512-91-X, 250 pgs.,$8.50

Volume Six, Includes the Buddha's explanation of the Four Clear and Unalterable Instructions on Purity, how to establish a Bodhimandala, the Shurangama Mantra and its wondrous functions, and the 12 categories of living beings. ISBN 0-917512-97-9, 200 pgs., $8.50

Volume Seven, Contains an explanation of the 55 stages of the Bodhisattva's path to Enlightenment, how beings fall into the hells, all the realms of existence of the ghosts, animals, people, immortals, and the various heavens. ISBN 0-917512-97-9, 270 pgs., $8.50

Volume Eight, In this, the final volume, the Buddha explains the Fifty Skandha Demon States, which cultivators may get stuck in. ISBN 0-917512-35-9, $8.50 (Available August, 1983)

楞嚴經淺釋 Zhung Wen. Volume I, $5.00

Sixth Patriarch Sutra - One of the foremost scriptures of Ch'an (Zen) Buddhism, this text describes the life and teachings of the remarkable Patriarch of the T'ang Dynasty, Great Master Hui Neng, who, though unable to read or write, was enlightened to the true nature of all things. ISBN 0-917512-19-7, 235 pgs., $10.00 (Hardcover: $15.00)

Sutra in 42 Sections - *In this Sutra, which was the first to be transported from India and translated into Zhung Wen, the Buddha gives the most essential instructions for cultivating the Dharma, emphasizing the cardinal virtues of renunciation, contentment, and patience.* ISBN 0-917512-15-4, 114 pgs., $4.00

Sutra of the Past Vows of Earth Store Bodhisattva - *This Sutra tells how Earth Store Bodhisattva attained his position as one of the greatest Bodhisattvas, foremost in vows. It also explains the workings of karma, how beings undergo rebirth, and the various kinds of hells. This is the first English translation.* Hardcover only, ISBN 0-917512-09-X, 235 pgs., $16.00. English text without commentary, for recitation, also available. ISBN 0-88139-502-1, 120 pgs., $6.00.

地藏菩薩本願經淺釋 Same as the Earth Store Sutra above, including the commentary. In Zhung Wen, 140 pgs., $6.50.

City of 10,000 Buddhas Recitation Handbook 萬佛城日誦儀規 *Has all the material covered in the traditional daily morning, afternoon, and evening services and special services recited in Buddhist monasteries in the East and West. Includes scriptures, praises, chants, mantras, repentances, and so forth.* Bi-lingual edition, Zhung Wen/English 240 pgs., $6.00 (2nd edition).

Vajra Prajna Paramita (Diamond) Sutra - *One of the most popular scriptures, the VAJRA SUTRA explains how the Bodhisattva relies on the perfection of wisdom to teach and transform beings.* ISBN 0-917512-02-2, 192 pgs., $8.00.

COMMENTARIAL LITERATURE:

Buddha Root Farm - *A collection of lectures given during an Amitabha recitation session which explains the practice and philosophy of the Pure Land School. The instructions are very complete, and are especially useful for a beginner.* ISBN 0-917512-08-1, 72 pgs. $4.00.

Great Compassion Dharma Transmission Verses of the Forty-two Hands and Eyes - *Contains 42 b/w photographs of the Venerable Master Hua's self-portrait paintings of the 42 Hands and Eyes, and 42 b/w photographs of copper reliefs of the mudras, with verses by the Venerable Master (with English translation) for each one.* ISBN 0-88139-002-X, 100 pgs., $16.00.

Herein Lies the Treasure-trove, *Volume I. Various talks given by the Venerable Master at the City of 10,000 Buddhas during recent years.* ISBN 0-88139-001-1, 250 pgs., $8.50.

Filiality: The Source of Virtue - *Filiality is the very root of Way-virtue. It is the single most vital force that sustains the universe. Therefore, it is only natural that Buddhist disciples base their conduct on an attitude of filial piety and respect, for their parents and elders, for the rulers and officials of countries and the world, for the Triple Jewel, and ultimately, for all living beings, for all beings have at one time or another been our parents. Vols. I and II of this series contain stories from the 24 famous tales of filial paragons of Zhung Kuo (China), and numerous excerpts from Buddhist Sutras about filial behavior.* Vol. I, ISBN 0-88139-019-4, 120 pgs., $7.00; Vol. II, ISBN 0-88139-020-8, 120 pgs., $7.00

Life-pulse of Living Beings - *Instructions on not killing, the detrimental karmic effects and health hazards related to eating meat, and stories of reincarnation concerning these.* ISBN 0-88139-006-2, 250 pgs., $8.50

Listen to Yourself, Think Everything Over - Vols. I and II - *Instructions on how to practice the method of reciting the name of the Buddhas and Bodhisattvas, along with a straightforward explanation of how to cultivate Ch'an meditation. All instructions were given during actual meditation and recitation sessions.* ISBN 0-917512-24-3, 153 pgs., $7.00

Shramanera Vinaya and Rules of Deportment - *The Buddha instructed his disciples to take the Vinaya (the Monastic Moral Code) as their master once he himself had entered Nirvana. This text, by Great Master Lien Ch'ih of the Ming Dynasty, explains the moral code for novice Monks and Nuns.* ISBN 0-917512-04-9, 112 pgs., $4.00

沙彌律儀要略釋   Same as Shramanera Vinaya, *including the commentary. In Zhung Wen.* 105 pgs., $5.00

Shastra On The Door to Understanding The Hundred Dharmas - *A text fundamental to Consciousness Only doctrine, by Vasubandhu Bodhisattva, with commentary by the Venerable Master Hua.* ISBN 0-88139-003-8, 130 pgs., $6.30

Shurangama Mantra Commentary -   楞嚴咒疏句偈解
Verses and commentary by the Venerable Hua on this Ancient text explaining how to practice the foremost mantra in the Buddha's teaching, including a line-by-line analysis of the mantra. The first volume contains all the instructions on how to prepare before holding the mantra and an explanation of the first portion of the mantra. ISBN 0-917512-69-3, 296 pgs., $8.50 (Bi-lingual, Zhung Wen and English). Vol. II contains an explanation of lines 30-90 of the mantra. ISBN 0-917512-82-0, 200 pgs., $7.50, Vol. III, lines 91-145, ISBN 0-917512-36-7, 160 pgs., $6.50. Vol. IV, Available Summer, 1983.

楞嚴咒疏   Text of the above, without the commentary of the Venerable Master Hua. In Zhung Wen, $5.00

Song of Enlightenment - *The famous lyric poem of the state of the Ch'an Sage, by the Venerable Master Yung Chia of the T'ang Dynasty.* (Available Summer, 1983)

永嘉大師證道歌詮釋 - *same as above in Zhung Wen, with commentary.* 40 pgs., $2.50

The Ten Dharma Realms are not Beyond a Single Thought - *Eloquent poems composed by the Venerable Hua, on all the realms of being, which are accompanied by extensive commentarial material and drawings.* ISBN 0-917512-12-X, 72 pgs., $4.00

Water-Mirror Reflecting Heaven - *An essay on the fundamental principle of cause and effect, with biographical material on contemporary Buddhist cultivation in Zhung Kuo. Clear and to the point; very readable for young and old.* ISBN 0-88139-501-3, 82 pgs., $4.00

水鏡回天錄 - *Same as Water-Mirror above, with the commentary. In Zhung Wen.* 130 pgs., $5.00

宣化上人開示錄(一)- *Instructional talks in Zhung Wen.* 190 pgs., $5.00

宣化上人開示錄(二)- *Volume 2,* $6.50

宣化上人偈讚錄 - *Verses in Zhung Wen, including verses for each of the 84 lines of the Great Compassion Mantra.* 150 pgs., $5.

萬佛城聯語集 - *Matched couplets by cultivators at the City of 10,000 Buddhas. In Zhung Wen.*, 82 pgs., $4.00

BIOGRAPHICAL:

Pictorial Biography of the Venerable Master Hsü Yün - *Prose and verses written by the Venerable Hua illustrated with brush drawings, documenting Venerable Yün's life. Will be a two-volume set. Volume 1 contains 104 sections of prose, verses, and drawings. Volume 2 contains 208.* ISBN 0-88139-008-9, 120 pgs., $7.00

Records of High Sanghans - *A living tradition is sustained to the extent that it is embodied in its heroes. The Buddhist tradition is enhanced by a large body of literature containing truly moving and inspiring life-stories of monks and nuns who dedicated their bodies and lives to the preservation and propagation of the Sagely Teachings. Vol. 1 will cover the life-stories of the first eminent Sanghans who brought the Buddhadharma from India to Zhung Kuo, and the adventures of those first Sanghans who withstood severe trials and hardships as they translated the first Sutras from Indian languages into Zhung Wen (Chinese).* ISBN 0-88139-012-7, 158 pgs., $7.00

Records of the Life of the Venerable Master Hsüan Hua - *The life and teachings of the Venerable Master from his birthplace in Zhung Kuo to the present time in America:*

   Volume One, *covers the Ven. Master's life in Zhung Kuo.* ISBN 0-917512-07-3, 96 pgs., $5.00 (*Also available in Spanish,* $8.00).
   Volume Two, *covers the events of the Master's life as he cultivated and taught in Hong Kong, containing many photos, poems, and stories.* ISBN 0-917512-10-3, 220 pgs., $8.00

Further Volumes Forthcoming

宣化禪師事蹟 - *A separate biographical work in Zhung Wen covering the Venerable Master's life in Zhung Kuo and Hong Kong.* 84 pgs., $4.00

Three Steps, One Bow - *The daily journal of American Bhikshus Heng Ju and Heng Yo, who, in 1973-74, made a pilgrimage for world peace from Gold Mountain Monastery in San Francisco to Seattle, Washington, making a full prostration every third step. The pilgrimage was inspired by monks in ancient Zhung Kuo, who would bow every third step for thousands of miles to a famous monastery or renowned teacher.* ISBN 0-917512-18-9, 160 pgs., $5.00

World Peace Gathering - *A collection of instructional talks on Buddhism commemorating the successful completion of the bowing pilgrimage of Bhikshus Heng Ju and Heng Yo.* ISBN 0-917512-05-7, 128 pgs., $5.00

News From True Cultivators - *The letters written by the two "Three Steps, One Bow" monks (Dharma Master's Sure & Ch'au), during their bowing pilgrimage, addressed to the Venerable Abbot and the Assembly of the City of Ten Thousand Buddhas, are uplifting messages to those traversing the Path of cultivation and inspiring exhortations to all those concerned with evolving vital and workable methods to alleviate the acute problems of our troubled times. The language is simple, the insights are profound. No one should miss reading this book.* ISBN 0-88139-016-X

With One Heart Bowing to the City of 10,000 Buddhas - *The moving journals of American Bhikshus Heng Sure and Heng Ch'au, who made a "three steps, one bow" pilgrimage from Gold Wheel Temple in Los Angeles to the City of 10,000 Buddhas, located 110 miles north of San Francisco, from May, 1977, to October, 1979.*

    Volume One, *May 6 - June 30, 1977.* ISBN 0-917512-21-9. 180 pgs., $6
    Volume Two, *July 1 -October 30,1977.* ISBN 0-917512-23-5, 322 pgs., $7.00
    Volume Three, *October 30 - December 20, 1977.* ISBN 0-917512-89-8, 154 pgs., $5.00
    Volume Four, *December 17 - January 21, 1978.* ISBN 0-917512-90-1, 136 pgs., $4.00
    Volume Five, *January 28 - February 18, 1978.* ISBN 0-917512-91-X, 127 pgs., $4.00
    Volume Six, *February 19 - April 2, 1978.* ISBN 0-917512-92-8, 200 pgs., $6.00
    Volume Seven, *April 3 - May 24, 1978.* ISBN 0-917512-99-5, 160 pgs., $5.00
    Volume Eight, *May 24 - September, 1978.* ISBN 0-917512-53-7. 232 pgs., $7.50
    Volume Nine, *September - October, 1978.* ISBN 0-88139-016-X, 232 pgs., $7.50

Further Volumes Forthcoming

修行者的消息 -*The complete collection of letters written by Bhikshus Heng Sure and Heng Ch'au during their 2½ year bowing pilgrimage to the City of 10,000 Buddhas; In Zhung Wen. Two-volume set,* $10.00

精進者的日記 (一) *- Part One of the Journals of the Bowing Monks; in Zhung Wen,* $6.00
精進者的日記 (二) *-Part Two of the Journals of the Bowing Monks: in Zhung Wen.* $6.50

Open Your Eyes; Take a Look at the World - *The Journals of Bhikshus Heng Sure and Heng Ch'au, and Bhikshuni Heng Tao, written during the 1978 Asia-region visit by the Venerable Master and other members of the Sino-American Buddhist Association.* ISBN 0-917512-32-4, 347 pgs., $7.50.

放眼觀世界 - *Same as Open Your Eyes...; in Zhung Wen,*
347 pgs., $7.50.

Heng Ch'au's Journal - *An account of the remarkable experiences and changes undergone by Bhikshu Heng Ch'au when he first came in contact with Gold Mountain Monastery.* 112 pgs., $1.95.

CHILDREN'S BOOKS

Cherishing Life - *Contains verses and brush drawings about not taking life, and public records about cause and effect drawn from actual events recorded by Dharma Masters, giving people's memories of past lives as animals, and their awareness of the reasons for their retributions of being in the animal realm. For elementary-age children, as well as adults.* ISBN 0-88139-004-6, 150 pgs., $7.

Human Roots: Buddhist Stories for Young Readers - *Has a total of 14 stories from the Buddhist Canon and historical records.* ISBN 0-88139-500-S, 95 pgs., $4.00.

MUSIC, NOVELS, AND BROCHURES

Songs for Awakening - *Words and music of over forty modern American Buddhist songs, indexed according to title and first line, with drawings, woodcuts, and photographs. The picturesque, 9" X 12" Songbook makes a fine gift to introduce your friends to Buddhism.* ISBN 0-917512-31-7, 112 pgs., $7.95.

Awakening - *Recorded on cassette tape, ten Buddhist songs set in Western style (all in English), ranging from pop to rock, to folk and country. Subjects covered include: Bodhisattva vows, the I Ching, Ch'an meditation, Lao-Tzu, the Lotus Sutra, an Abhidharma meditation, Amita Buddha and his Pure Land.* $7.00 plus $1.00 shipping in the U.S.A. and $2.00 for international orders.

The Three Cart Patriarch - *A 12" stereo lp., recorded by and for children, based on the "Monkey" tales of Zhung Kuo which features stories, six musical productions, and many special effects.* $7.00 plus $1.00 shipping in the U.S.A. and $2.00 for international orders.

City of 10,000 Buddhas Color Brochure - *Over 30 color photos of the scenic center for world Buddhism, along with many poems and a description of its activities.* 24 pgs., $2.00.

Dharma Realm Buddhist University Catalog, 1983 - ISBN 0-88139-000-3, 246 pages., $5.00. (Available Summer, 1983)

Celebrisi's Journey - *A novel by David Rounds, describing the events in a modern American's quest for enlightenment. (First edition)* ISBN 0-917512-14-6, 178 pgs., $4.00.

萬佛城金剛菩提海

VAJRA BODHI SEA

Vajra Bodhi Sea is a monthly journal of orthodox Buddhism, which has been published by the Sino-American Buddhist Association since 1970. Each issue contains the most recent translation work of the Buddhist Text Translation Society. Each issue includes a biography of a great Patriarch of Buddhism from the ancient past, sketches of the lives of contemporary monastics and lay-followers around the world, a Sanskrit lesson, articles on practice, and other material. The journal is bi-lingual, in Zhung Wen and English with 24 pages each, in an 8½" by 11" format. Single issues $2.50; one year subscription $26.00; and three years subscription $70.00. ISBN 0-507-6986 (postage is included in the subscription fee).

POSTAGE AND HANDLING

United States - $1.25 for the first book and $.40 for each additional book. All publications are sent via special fourth-class. Allow from 4 days to 2 weeks for delivery.

International - $1.50 for the first book and $.75 for each additional book. All publications are sent via "book rate" or direct mail sack (surface). For countries, such as Indonesia and Malaysia, in which parcels may be lost, we suggest orders be sent via registered mail for an additional $3.25 per parcel of 10 books each. We cannot be responsible for parcels lost in the mail. Allow 6 to 8 weeks for delivery.

The rates noted above for postage and handling are given as an indication of actual costs. On large orders, purchasers may wish to submit their order for a more precise estimate of postage and handling costs.

All orders require pre-payment before they will be processed.

中文佛書目錄

經典部分：

大方廣佛華嚴經序疏淺釋（漢英對照）美國萬佛城宣化上人講解，全一冊。定價美金七元。

大方廣佛華嚴經疏淺釋（平裝四冊）美國萬佛城宣化上人講解。

第一冊（第一門，教起因緣）定價美金五元。
第二冊（第二門，藏教所攝）定價美金八元五角。
第三冊（第三門，義理分齊。第四門，教所被機。第五門，教體淺深。第六門，宗趣通別）定價美金八元五角。
第四冊（第七門，部類會。第八門，傳譯感通。第九門，總譯名題。第十門，別解文義）定價美金五元。

大方廣佛華嚴經淺釋（平裝八冊）美國萬佛城宣化上人講解。

第一冊（世主妙嚴品第一，卷一至卷二）定價美金五元。
第二冊（世主妙嚴品第一，卷三）定價美金七元。
第三冊（世主妙嚴品第一，卷四至卷五）定價美金七元。
第四冊（如來現相品第二。普賢三昧品第三。世界成就品第四）定價美金五元。
第五冊（華藏世界品第五。毘盧遮那品第六。如來名號品第七。四聖諦品第八）定價美金七元。
第六冊（光明覺品第九。菩薩問明品第十。淨行品第十一）定價美金七元。
第七冊（賢首品第十二。升須彌山頂品第十三。須彌頂山偈讚品第十四。十住品第十五）定價美金七元。
第八冊（梵行品第十六。初發心功德品第十七。明法品第十八。升夜摩天品第十九。夜摩偈讚品第二十）定價美金五元。

大方廣佛華嚴經十地品淺釋（平裝三冊） 美國萬佛城宣化上人講解。
第一冊（第一歡喜地）（漢英對照） 定價美金七元。
第二冊（第二離垢地。第三發光地。第四燄慧地。第五難勝地） 定價美金五元。
第三冊（第六現前地。第七遠行地。第八不動地。第九善慧地。第十法雲地）定價美金六元

千手千眼大悲心陀羅尼經（全一冊） 定價美金六元。
般若波羅蜜多心經非台頌解（全一冊） 美國萬佛城宣化上人講解 定價美金五元。
楞嚴咒疏句偈解（漢英對照）（第一冊） 美國萬佛城宣化上人講解 定價美金八元五角。
梵網經講錄（漢英對照）（上冊） 慧僧法師述 定價美金十元。
梵網經講錄（漢英對照）（下冊） 定價美金八元

地藏菩薩本願經淺釋 定價美金六元五角

佛書部分：

永嘉大師證道歌詮釋（全一冊） 美國萬佛城宣化上人講解 定價美金二元五角。
緇門崇行錄 蓮池大師著 弘一大師集（贈閱）
宣化上人偈讚聞釋錄（全一冊） 定價美金五元
宣化禪師事蹟（全一冊） 定價美金四元。
放眼觀世界（亞洲弘法記）、（全一冊） 定價美金七元五角
修行者的消息（三步一拜兩行者一心頂禮萬佛城之來鴻） 定價美金七元
佛教精進者的日記（平裝上冊） 定價美金六元

總流通處：

中美佛教總會萬佛城
The Sino-American Buddhist
  Association, INC.
Headquarters: City of Ten
  Thousand Buddhas
P.O.BOX 217, Talmage,
Talmage, CA 95481, USA
Tel: (707) 462-0939

三藩市分會金山禪寺
San Francisco Branch: Gold
  Mountain Monastery
1731 15th Street
San Francisco, CA 94103
Tel: (415) 626-4204, 861-9672

三藩市國際譯經學院
The International Institute for
  the Translation of Buddhist Texts
3636 Washington Street
San Francisco, CA 94118
Tel: (415) 921-9570

洛杉磯分會金輪寺
Los Angeles Branch: Gold Wheel
  Temple
1728 W. 6th Street
Los Angeles, CA 90017
Tel: (213) 483-7497

萬佛城聯語集（一） 定價美金四元
水鏡回天錄（全一冊）美國萬佛城宣化上人著 定價美金五元
沙彌律儀要略解（全一冊）美國萬佛城宣化上人講解 定價美金五元
楞嚴咒疏句偈解（漢英對照）（第二冊） 定價美金七元五角
宣化上人語錄 定價美金五元

即將出版：
大方廣佛華嚴經淺釋（十定品至入法界品）
大佛頂首楞嚴經淺釋
佛教精進者的日記（下冊）

法界佛教總會法界大學出版